LE FEU PURIFICATEUR

Du même auteur :

Avec ou sans amour, nouvelles, Le Cercle du livre de France, 1958 ;
   Robert Laffont, 1959. Prix du Cercle du livre de France.

Doux-amer, roman, Le Cercle du livre de France/Robert Laffont,
   1960 ; Bibliothèque québécoise, 1999.

Quand j'aurai payé ton visage, roman, Le Cercle du livre de France,
   1962.

Dans un gant de fer. I : La joue gauche, mémoires, Le Cercle du
   livre de France 1965. Prix France-Québec et prix de la Province
   de Québec.

Dans un gant de fer. II : La joue droite, mémoires, Le Cercle du livre
   de France, 1966. Prix du Gouverneur général du Canada.

Dans un gant de fer, Bibliothèque du Nouveau Monde, 2005.

Les morts, roman, Le Cercle du livre de France, 1970.

Moi je n'étais qu'espoir, théâtre, Le Cercle du livre de France,
   1972.

La petite fille lit, Éditions de l'Université d'Ottawa, 1973.

Toute la vie, nouvelles, L'instant même, 1999.

L'amour impuni, roman, L'instant même, 2000.

La brigande, roman, L'instant même, 2001.

Il s'appelait Thomas, roman, L'instant même, 2003.

L'inconnu parle encore, roman, L'instant même, 2004.

À tout propos, essai, L'instant même, 2006.

CLAIRE MARTIN

Le feu purificateur

récits

L'instant même

Maquette de la couverture : Anne-Marie Jacques
Illustration de la couverture : Natalie Jean
Photocomposition : CompoMagny enr.

Distribution pour le Québec : Diffusion Dimedia
539, boulevard Lebeau
Montréal (Québec) H4N 1S2

Distribution pour la France : DNM – Distribution du Nouveau Monde

L'instant même
865, avenue Moncton
Québec (Québec) G1S 2Y4
info@instantmeme.com
www.instantmeme.com

Dépôt légal – Bibliothèque et Archives nationales du Québec, 2008

Catalogage avant publication de Bibliothèque et Archives nationales du Québec et Bibliothèque et Archives Canada

Martin, Claire, 1914-

    Le feu purificateur

    ISBN 978-2-89502-267-1

    I. Titre.

PS8511.A84F48 2008   C843'.54   C2008-940548-X
PS9511.A84F48 2008

L'instant même remercie le Conseil des Arts du Canada, le gouvernement du Canada (Programme d'aide au développement de l'industrie de l'édition), le gouvernement du Québec (Programme de crédit d'impôt pour l'édition de livres – Gestion SODEC), et la Société de développement des entreprises culturelles du Québec.

Le feu purificateur

J'ai marché longtemps sur l'espace maintenant mal délimité, où ce qui reste ne constitue même pas ce qu'on peut appeler des ruines. Là où il y avait une belle maison, à peine émerge du sol une rangée de pierres taillées qui forme angle droit avec quelques autres pierres. Juste un débris de fondation et, si je m'oriente bien, je constate qu'elle n'était pas sous la salle à manger, donc pas non plus sous ma chambre. Ma chambre ! Elle n'existe plus du tout. Cette pensée me remplit d'aise. À mes pieds je ne vois que des briques plus ou moins écrasées, noircies par le feu. Des bouts de poutres calcinées. C'est donc vrai qu'on a dû se débarrasser de cette grande maison en l'incendiant. J'aperçois quelque chose de blanchâtre qui perce le sol noirci par des débris charbonneux et je reconnais un de nos couteaux de table. Les intempéries, le feu, les saisons ne valent rien pour l'ivoire. Oui, c'étaient de beaux couteaux à manche d'ivoire, ce qui était rare même à l'époque où son emploi n'était pas encore interdit au nom de la protection de la nature. La lame a mieux résisté. Après l'avoir essuyé longuement, je le glisse dans mon sac. Je murmure pour moi seule : « Ce n'est pas un gros butin. » Or, je ne suis pas venue ici pour récolter quelque chose, mais pour remuer des souvenirs, voir s'il m'en manque.

Remuer, remuer... Attention, en fouillant ce vieux sol brûlé et qui a été foulé par les pieds de Champlain peut-être, par les soldats de Montcalm, par ceux du chevalier de Lévis, désespérés, voyez ce que vous avez trouvé. En creusant, c'est peut-être un poignard que vous récolterez, jeté là une nuit de violence. Gros butin ! (C'est ma voix qui me parle ainsi.)

J'ai récolté peut-être plus qu'il n'y paraît. Ce couteau, je l'ai glissé un peu tôt dans mon sac, sans avoir pris le temps de l'examiner vraiment. Il y en avait douze. Celui-ci s'est, je crois, perdu au cours d'un déjeuner sur l'herbe. Il y avait au milieu de la pelouse une table de pierre faite, assurément, d'une grande meule montée sur quatre pieds de métal. Je dis que c'était une meule parce qu'il y avait un trou au milieu. Les jours de pique-nique, on y logeait un panier qu'on remplissait de fruits.

Mon couteau a été poussé là où je l'ai trouvé, avec d'autres débris, quand le terrain a été aplani. De temps en temps, mon œil est attiré par un reflet, une lueur métallique. Il s'agit toujours d'une petite pièce de monnaie ou d'un clou qui refuse de rouiller ou d'un éclat de verre, mais pas d'une bague en or. Ce serait trop beau et pourtant il y a une bague ici dans ce sol ravagé, la bague de maman que mon frère s'était glissée au doigt. Je ne me souviens plus de la circonstance, mais je me rappelle les recherches que nous entreprenions certains après-midi « d'été et d'ennui », comme nous disions plus tard en ressuyant cette histoire mystérieuse, oui, car enfin cette bague avait été perdue dans un espace relativement restreint et nous étions nombreux à la chercher. Puis, les étés passèrent…

Il reste encore une bonne partie de la pelouse initiale, dont le gazon est depuis longtemps redevenu de l'herbe qui porte semences à cette période de l'année. Les choses ne s'effacent jamais tout à fait. Cette herbe ne ressemble en rien à celle qui l'avoisine. Elle est d'une seule venue jusqu'aux confins du terrain.

Je commençais à être mélancolique, tristounette même, quand le téléphone a sonné dans la poche de mon manteau. Appel de ma sœur, bien sûr. Depuis que je suis revenue et que je lui ai confié ce numéro, elle me suit à la trace :

– Où es-tu ? J'entends la sirène d'un bateau. Tu es au Vieux Port ?

J'ai envie de répondre que c'était une vraie sirène qui se reposait sur la grève, mais elle est fichue de me dire qu'il n'y a pas de sirènes dans le fleuve. Elle est comme ça, elle prend tout au pied de la lettre, au premier degré comme on dit plus fréquemment. Dans ma jeunesse, le premier degré se trouvait plutôt au pied de l'escalier. Pour l'instant, je suis sur le site de la maison de notre enfance.

– Qu'est-ce que tu cherches ? La bague de maman ? Tu sais bien qu'elle est introuvable.

– As-tu remarqué qu'elle ne nous encourageait pas dans nos recherches ? Je n'en ai jamais parlé, mais je sais pourquoi maman ne tenait pas à retrouver cette bague. Je l'ai entendue le dire à voix basse à une de ses amies : « Je suis bien contente de ne plus l'avoir à mon doigt. C'était la bague de fiançailles de sa première femme. Il la lui a enlevée du doigt après qu'elle fut morte et il me l'a offerte six mois après, sans que l'amour y soit pour rien. Elle n'était pas faite pour moi et ne demandait qu'à me quitter. »

Ce qu'il faudrait, c'est un détecteur de métaux. Munis de cet instrument, des chercheurs de modestes trésors se rendent sur les plages méditerranéennes dès potron-minet et passent de long en large et de large en long sur les grèves de tout le littoral, chacun son territoire, c'est aussi ce que nous faisions mais sans détecteur. Je me souviens d'un reportage, à la télévision niçoise, sur ces chercheurs de petits trésors. Il semble que tous les matins donnaient leur butin, surtout des pièces de monnaie, de celles qu'on qualifie de menues et qui se trouvent perdues par des enfants bien sûr, l'argent pour acheter un *eskimo,* et qui tombent de la petite main distraite. Le reportage se terminait par l'arrivée d'un vieux monsieur venu sur la plage de bon matin lui aussi dans l'espérance de retrouver la montre de sa femme. « Des montres, monsieur, j'en trouve tous les jours, si vous voulez attendre que j'aie fini mon ratissage… » et le reportage se termine sur l'image du vieux monsieur élégant qui a tiré un mouchoir de sa poche et qui nettoie la montre sur laquelle le sable s'est collé. Il souffle dessus tout en souriant. J'aurais aimé le voir arriver chez lui, triomphant, mais on ne voit jamais le plus beau. Si on allait être un peu heureux pour ce vieil homme qui aime assez sa femme pour rechercher la montre perdue, pensez donc !

Le site de la maison avec les parterres et les jardins et les vergers attenants est un peu plus vivant que je ne m'y attendais. Il y a de la repousse. Cette petite tige, à cet endroit, je parierais que c'est du lilas issu d'une racine qui aurait résisté. Je pousse du pied les mottes tout autour pour voir s'il s'en révèle d'autres, mais tout ce que je trouve c'est une minuscule bouteille avec un reste d'attache en ruban rouge. Nous en suspendions plusieurs et nous les remplissions tous les jours avec de l'eau sucrée, grâce à quoi, tout l'été, des oiseaux-mouches, attirés par le parfum du lilas puis le rouge du ruban, se laissaient tenter par l'eau sucrée. Ils arrivaient non pas en volant comme font les oiseaux, mais en battant leurs ailes comme les papillons. Ils faisaient du sur-place au-dessus de la bouteille, leur bec aussi long que leur corps, plongé dans le goulot juste assez large. Le mâle est coloré et la femelle assez terne. On m'a dit que la mère est ainsi plus à l'abri des prédateurs. Cela m'amuse toujours d'entendre des personnes qui devinent ce qui se passe, non seulement dans ces petites cervelles, mais dans le « centre des décisions » de la nature. Pour ma part, je crois plus facilement que c'est d'être peu vues par les prédateurs, parce qu'elles sont bariolées, ocellées, qui a camouflé certaines espèces vivant près des fleurs, et qui les a sauvées. C'est vraiment le hasard et la nécessité. Où vont-ils boire, aujourd'hui, les colibris ?

Je ne reviendrai assurément jamais ici et c'est pourquoi je suis si lente à partir. C'est, je pense, la troisième fois que je fais mon dernier tour. Au reste, le soir tombera bientôt. Je me le répétais quand mes yeux furent alertés par une chose très ronde, assez grosse, disons comme un melon de bonne venue. Son bois précieux est carbonisé en surface seulement, c'est un bois dense, lourd qui a résisté à bien des épreuves depuis qu'il a quitté sa forêt tropicale. Cette « boule d'amortissement » portait encore en un point une amorce d'attache au pilastre de ce tragique et bel escalier. J'y chercherais bien du sang séché si elle était moins abîmée par le feu. Depuis, c'est plutôt au feu qu'au temps qui passe que je réfléchis et j'y pense à chaque pas qui s'enfonce dans ce sol igné où, d'humain, il ne reste que quelques traces : un couteau à manche d'ivoire qui pendant des années a coupé des viandes sur des assiettes de Limoges, puis de Rosenthal, puis plus rien, la maison vide, la poussière, la rouille, l'insecte vorace.

Les sols brûlés sont nombreux même si plusieurs ne sont peut-être que mythiques, légendaires. Ceux auxquels je pense seront peut-être considérés comme tels dans les siècles futurs et témoigneront parmi d'autres, plus ou moins oubliés : tout en haut de la liste, Sodome et Gomorrhe. C'est dans mon histoire sainte que j'ai appris ces deux noms, autrement j'aurais dû attendre Proust et sa recherche. Les motifs punitifs manqueront à New York le 11 septembre pour marquer la mémoire du monde, mais entre-temps, que de plaines napolitaines ou sibériennes, que de parcs hawaïens saccagés par le feu volcanique ! On est en droit de se demander si notre Terre était vraiment destinée à nous accueillir. Il y a eu erreur !

Je pousse du pied un caillou qui menace de faire tourner mon pied s'il s'y pose. Quelque chose brille dessous. Ah ! mais non, le sort est malveillant, cet or n'a rien à voir avec la bague. Ce n'est que du métal jaune, une broche dont les griffes sont vides de leurs pierreries. Cela ne me rappelle rien. Le téléphone sonne encore.

– Tu cherches toujours la bague ! La nuit va tomber, tu vas te perdre, la petite route n'est pas éclairée.

– J'ai trouvé la boule de l'escalier.

Un silence un peu long et le souffle qui s'entend.

– Je t'en prie, rapporte-la. Attends, je vais te chercher. C'est lourd ?

– Ah oui !

Un peu plus d'un quart d'heure d'attente. Sa voiture a tourné dans l'allée qui donne sur la route et qui ne sert plus à personne. Un bizarre déclic de la mémoire : le taxi qui nous avait menées bien loin d'ici, mes valises et moi. Ma sœur a pensé prendre un sac de papier kraft qu'elle tient entrouvert. J'y pousse la boule, mes gants, le couteau, la petite bouteille à colibris, le mouchoir qui a nettoyé le couteau.

– C'est tout ? Aucun de nos aïeux n'a enfoui son coffret à trésor ? Pourtant, de vieux avares, nous en avons eu.

– N'en parlons pas en mal. Ils n'enfouissaient qu'en leur coffre de banque. Et, dis-moi, d'où nous viennent nos maisons, hein ?

– Mais oui… Et l'épouvantail que notre père avait ramené un jour d'aveuglement !

– Tu veux dire Évangéline ? Ah ! te souviens-tu, ma petite sœur, de ce que nous avons trouvé, après sa mort, dans les tiroirs de qui tu sais, elle ! La boîte aux colifichets dérobés. Quel fou rire ! Mon petit col d'hermine roulé en boule, ma guipure de Venise dans un sac de coton bleu. Tout cela avait séjourné dix ans sous de vieux corsets jaunis, des chemises de nuit déshonorées par des amours de vieillards. J'en ris encore !

15

– Et comment le mystère de la chambre jaune, qui empoisonna toute une période de notre vie, a été éclairci.

– Bien tard, ma petite sœur, bien tard.

– Étrange femme qui n'a pas su perpétuer sa méchanceté dont elle a laissé toutes les preuves. Drôle d'idée, après avoir tant manigancé pour nous faire accuser l'un après l'autre. Ses propres bijoux en métal jaune façon or, enveloppés dans un papier de soie et que nous avions cherchés partout, pour lesquels notre jeune frère avait été soupçonné, puis accusé de vol, ton col de guipure, mystérieusement disparu et que l'on n'avait plus revu, le petit miroir entouré d'une garniture de brillants, et quoi d'autre ?

– Attention ! tu as grillé un feu rouge !

– Il n'y avait personne, je l'ai juste ignoré. Sais-tu à quoi j'ai pensé pendant que tu énumérais les objets trouvés dans une boîte dissimulée sous une couche épaisse de vieux bas de nylon et de vieilles culottes ? À un livre de contes pour enfants que j'ai lu, petite. Il y avait une domestique tout à fait innocente que l'on accusait d'avoir volé une bague. Après des recherches inutiles, des accusations, des menaces, la bague était retrouvée dans le nid de pie que l'orage avait jeté au sol. Mais il était trop tard, la petite servante s'était suicidée.

– Là, je pense que tu exagères. Il n'y avait, à ce moment et peut-être encore maintenant, jamais de suicide dans les livres pour enfants. De deux choses l'une : ce n'était pas un conte pour enfants ou bien ce n'était pas un suicide.

– Tu as peut-être raison. Tu sais, on ne peut rien changer à ses souvenirs. Rien n'est plus indépendant que la mémoire. Crois-tu qu'elles sont véridiques, ces histoires de pies qui volaient les objets brillants ?

– Sûrement. Pourquoi auraient-elles été accusées sans motif, elles aussi ? On en a fait un opéra, je crois. Pourquoi ris-tu ?

– Cela m'amuse de constater que nous n'avons pas perdu cette habitude de tenir des propos sans queue ni tête, comme si nous parlions sérieusement, sur le même ton et avec le même visage.

– Tu sais comme ma mémoire est bonne, cette histoire de pie voleuse a été racontée par des tas de conteurs de toutes sortes, chacun à sa façon. C'est la fin, surtout, qui change, parce que l'enfant qui écoute ne supporte pas l'injustice dont est victime la petite bonne, cela le fait pleurer, mais aussi, le petit garçon dévoré par le loup, tandis que la grand-mère, ma foi, cela dépend laquelle. Voilà, nous sommes arrivées. Laisse-moi descendre ici.

– Il y a une voiture. Tu la reconnais ?

– Moi, les voitures, je ne les reconnais jamais. Je ne leur vois jamais que l'intérieur, velours gris, velours bleu, velours beige. Je pense que si je savais conduire, je saurais distinguer ta Chevrolet d'une Mercedes-Benz. Cela doit être utile. Je te remercie et je te laisse la boule. Ne la perds pas. Je reprends le reste.

Un léger mouvement du rideau me fait deviner qu'on m'attend.

– Excuse-moi. Encore en retard ! Je n'arrivais pas à me détacher de ce champ de ruines. J'ai trouvé des choses. Ni or ni argent. Un couteau de table, la boule du pilastre d'escalier un peu carbonisée. Le feu purifie, même cette boule souillée, mortelle, sacrilège à jamais. Elle a perdu de sa luisance funeste, elle a dû céder un peu de sa malfaisance.

– Tu as eu un appel, ce chroniqueur qui te connaît. Il a demandé que tu rappelles.

Ce que j'ai fait sans attendre. Il faut être en bons termes avec eux, une fois que je me lancerais dans la politique… ou la littérature !

Bon ! Il paraît que j'ai été vue me promenant mélancoliquement sur le site calciné qui nous semble immense, alors qu'il n'est que grand. Ce sont tous ces arbres qui peuplent les limites et qui le font paraître infini. Bref, ce chroniqueur a des projets :

– J'ai l'intention, dit-il, d'écrire une série d'articles sur les maisons anciennes de ces quartiers périphériques. La vôtre fut construite la première dans l'est, autant dire en plein désert.

– Désert de chlorophylle, le sable des déserts était dessous, au bord de l'eau.

– C'était aussi, pour ce que j'en sais, la seule à avoir une histoire aussi insolite. Pour la fin, en tout cas.

– Pour le début aussi.

– Vous me mettez l'eau à la bouche. Si le sort lui a été néfaste depuis son commencement, je crains que mes autres chroniques ne paraissent un peu pâles. Ces maisons, la plupart du temps, n'avaient pour sort que de durer. J'en ai une qui date de 1896, c'est un peu plus ancien que la vôtre, mais située très loin d'elle, touchant presque à la ville. Celle que vous habitiez était de 1903, n'est-ce pas ?

– Oui. Cela semblait avoir été fait pour abriter Mathusalem et ses douze femmes. Il y en eut quelques-unes chez nous aussi ! Les cinq que je connais se sont succédées après décès. La polygamie ne fait pas partie de notre pratique, sauf successivement…

– Donc, la maison a vu mourir ces cinq femmes.

– Non, elles sont toutes allées mourir ailleurs. Elles en avaient eu assez d'y vivre. Bien plus, seule la première est inhumée dans la concession familiale au cimetière de B*, les autres ayant décliné cet honneur par leurs testaments dont cette dernière volonté était la clause la plus importante. Pas une des quatre dernières n'a mentionné le legs de bagues ni d'alliance. Elles savaient d'expérience le chemin qu'elles prendraient, celui de l'orfèvre qui en changerait la taille. Il nous faudrait nous rencontrer, je ne vais pas vous raconter tout au téléphone.

– Demain, à 14 heures, cela ferait-il votre affaire ?

– Chez moi, d'accord. Êtes-vous exact ?

Question oiseuse, tout le monde dit oui. Et puis on attend. Au fond, être là à l'heure, ça fait plouc, ça fait péquenot ! Pour un peu, on s'en excuserait. Mais jamais pour être en retard, pas du tout pour les canapés qui se dessèchent, les olives qui se fripent, les glaçons qui fondent et qui doivent être renouvelés deux ou trois fois. On verra demain.

Pour répondre à ce garçon, je n'ai prévu que deux verres et de l'eau minérale. Il a sonné à moins le quart. Il est contrariant, ce jeune homme.

Quant à mon G. C. (Gentil compagnon : je l'appelle ainsi depuis un séjour dans une île des Caraïbes, au Club Med, il y a cinq ans, pas moins), il est sorti. Il n'assiste jamais à ces interrogatoires qui ne concernent, sauf aujourd'hui, que le théâtre. Il prétend que cela l'ennuie. Je pense que c'est par discrétion, au cas où sa présence m'empêcherait de parler librement. Nous n'avons pas toujours les mêmes opinions, et opinion n'est pas sentiment. Nous nous connaissons depuis douze ans et il remarque souvent qu'auparavant, le théâtre, c'était l'inconnu : « J'étais jeune, je ne pensais qu'à l'étude, à la recherche. » L'air de dire que les garçons aux alentours de vingt ans ne pensent jamais à autre chose. Nous avons, là-dessus, d'interminables rabâchages. « Le théâtre, au temps de mes études, c'était, pour moi, le comble de la frivolité. » Et les comédiennes, des femmes légères, bien sûr. Il ne le dit pas, mais il est évident que c'était, en ce temps-là, son opinion.

« En ce temps-là » est une expression que j'emploie volontiers, ce pour quoi il me traite d'évangéliste. Il dit aussi que les mots me servent à rire et à faire rire. Le bon usage du ridicule. Nous avons appris cela tôt dans la vie pour être souvent en situation de nous moquer.

J'en étais là quand ma sœur a téléphoné pour parler de la boule. Elle en a discuté avec un de ses amis qui est ébéniste. Comme il reste à deux pas, il est venu voir l'objet. Ma sœur a dû lui raconter toute l'histoire, le drame, les cris, les hurlements (ce n'est pas la même chose), l'horrible bruit de chute. Autrement, il n'aurait pas compris l'intérêt porté à cette chose abîmée. Il a suggéré de la nettoyer tout en laissant de légères traces de feu. Une planchette un peu creusée en son milieu et faite d'un bois plus foncé suffirait comme support. Si jamais mon ami le chroniqueur décidait de faire un livre avec la série d'articles qu'il projette, il pourrait utiliser la photographie de l'escalier que j'ai conservée. *Memento !*

– Vous n'avez pas oublié non plus les détails de l'histoire de cette maison.

Pendant une vingtaine de minutes nous n'avons parlé que du nombre de maisons qui peuvent être tenues comme intéressantes, âge ou événements connus.

– Il est vrai que plus elles sont âgées, plus elles ont subi de transformations « souvent inexplicables ».

Vous avez remarqué que les toits mansardés sont pour ainsi dire de règle dans la région, là où se trouvent toutes les maisons qui m'intéressent. Eh bien ! ces mansardes sont idéales pour dissimuler des placards « clandestins ». Les uns datent des premiers temps de l'édifice, ce qu'on apprend du propriétaire s'il en a été le constructeur. Une maison qui a été habitée par la même famille depuis cent ans, dans ce pays, c'est rare. Au cours des générations, il s'est trouvé des hommes, des femmes, qui avaient quelque chose à cacher aux autres membres de la famille : de l'argent (dans un certain cas du numéraire étranger en assez bonne quantité), des lettres, toute une correspondance courant sur plusieurs années, des livres qui furent interdits il y a bien longtemps et dissimulés là, avant l'autre guerre. Tout ce butin ne se trouvait pas nécessairement dans les mêmes maisons, mais pour les livres et les lettres, ce fut le cas.

– Comment expliquer cela ?

– D'abord, plusieurs maisons ont été munies de mansardes lors de la construction, vraisemblablement pour permettre l'examen de la toiture en son envers jusqu'au rebord, au cours des années, et en vérifier la parfaite étanchéité. D'autre part, ces temps de sujétion de toutes sortes, familiale, conjugale, religieuse, suscitaient le secret. Qu'en diriez-vous ?

– Au demeurant, je me contentais de la cachette pourtant bien classique et pratiquée par les jeunes filles trop étroitement surveillées : sous le matelas.

Quand je suis partie, j'ai oublié de récupérer mes trésors, livres, lettres, photos. Tout ce que suscite l'interdit. On imagine la tête de ceux qui ont trouvé ce « pas-du-tout-misérable-tas-de-secrets », dont parle monsieur Malraux.

– Surtout les lettres…

– Non. Surtout les livres.

J'aime cette réplique qui a fait son petit effet.

– Vous aimez trop les livres. Vous vous mettrez à en écrire un de ces jours.

– Moi, écrire ? Aurais-je la patience, l'assiduité, la passion, l'opiniâtreté, l'audace et peut-être même l'abnégation ? Vous voyez, ai-je tort, il me faudrait autant de vertus que pour être canonisée.

– Vous pourriez commencer par écrire l'histoire de la maison.

De quoi me parle-t-il ? Il est là pour m'interroger à propos de cette maison et il voudrait que j'en fasse un livre ? Et lui un article de journal ? Logiquement, l'article serait publié tout de suite, mais le livre ne serait terminé que dans un ou deux ans. Drôle de marché. Il a dit cela pour me tendre un piège peut-être.

Je ne l'écoute plus. Je suis distraite par la diversité que peut prendre un tel projet. Une recherche sur la chronologie. On m'a déjà parlé de 1903 comme date exacte. Cet endroit devait être le plus dépeuplé des déserts à ce moment-là. Aucune route, aucune autre maison d'aussi loin que l'on pouvait voir. Des poteaux pour apporter l'électricité, oui… quand même ! Mais aucun pour le téléphone.

1903 ! Comment les matériaux indispensables pour construire cette vaste maison sont-ils arrivés là ? Par le petit chemin de fer, rien d'autre. Il aura fallu une armée de travailleurs pour transbahuter tout ce matériel, depuis les poutres jusqu'à la moindre poignée de porte. Si la maison était vaste, il en allait de même de la cave. Le bulldozer n'existait même pas à l'état de rêve dans l'imagination de son inventeur. À l'époque on n'avait que l'été, et quelques bâches, pour permettre de bâtir des fondations, des murs et, avant l'hiver, le toit. Il fallait faire vite, être nombreux. Celui qui a fait construire cette maison était riche assurément. Il se nommait Kellogg. Un jour de 1937, ma grande sœur vit arriver une vieille dame qui descendait de voiture devant notre porte. Elle venait revoir la maison où elle s'était mariée environ trente ans plus tôt. Après une petite conversation, elle se plaça entre la salle à manger et le solarium.

– *I was married just here,* dit-elle, comme si le parquet en était resté marqué.

Puis, elle a regardé intensément le salon, le studio paternel, le hall d'entrée, l'escalier, mais n'a pas demandé à revoir l'étage des chambres où l'une d'elles, probablement, avait vu la nuit de noces. Elle ne dit pas où elle vivait, ni si celui qui l'avait épousée ce jour-là existait encore et si elle pourrait lui dire qu'elle avait revu l'endroit précis où ils avaient échangé les alliances.

Cette anecdote me fait penser que je n'ai jamais pu revoir l'endroit où je me suis mariée : les portes de l'église sont toujours sous clef. On les ouvre pour les messes et on les referme précipitamment après. C'est que les églises, nous dit-on, sont pillées « par de pieux cambrioleurs », prétend mon farceur de mari. « Ils ont de petits oratoires à domicile », dit-il.

Bref, mon chroniqueur, arrivé au début de l'après-midi, était toujours là à 10 heures. Vers 7 heures, il s'était extrait de son fauteuil : « Je vais commander une pizza, vous permettez ? » en soulevant l'écouteur. Ce garçon doit vivre de pizza : il a composé le numéro par cœur et la chose est arrivée encore toute chaude. Il ne boit pas de vin. J'ai fait du thé et, ça, il en boit beaucoup. J'en ai refait. Moi, le thé m'endort. Pour me secouer un peu, je suis allée dans ma chambre où j'ai fait un peu de brouhaha avec les portes d'armoire.

Quand je suis revenue sans faire plus de bruit qu'un oiseau, il avait ouvert un tiroir de la table et il en inspectait le contenu. J'ai fait celle qui ne voyait pas et me suis dirigée droit sur la pizza dont je partageai en deux parts ce qui restait. Après la pizza, il m'a demandé si j'avais des gâteaux. Des biscuits secs, oui... des gâteaux ? Moi, j'ai pris une pomme. Il y en a toujours une pleine coupe sur la table. Retour à la maison :

– Comment êtes-vous arrivés là ? C'était le bled à l'époque. D'après mes recherches, la maison la plus proche était à un gros quart d'heure. Et pas le moindre sentier pour y accéder.

– Il fallait emprunter la voie ferrée. La prouesse, c'était de marcher en équilibre sur le rail, un pied devant l'autre sur tout le parcours sans en descendre, sauf si nous entendions – heureusement dans le silence juste un peu occupé par les oiseaux –, si nous entendions, dis-je, un train venir. Nous sautions dans le fossé, dont les abords, de l'autre côté, étaient garnis de framboisiers, de ronciers et même de cerisiers. Si le train était un long convoi de fret et si c'était l'été, nous grappillions quelques petits fruits en attendant que tous les wagons, chargés le plus souvent de matériaux de construction, soient passés. Et dire que maintenant on est si bien pourvu de routes qu'on a abandonné le chemin de fer. Même le train allant à La Malbaie ne passe plus.

– Il vous faisait rêver, celui-là ?

– Il conduisait au Manoir Richelieu : nouveaux mariés en voyage de noces, touristes américains, estivants de Québec quittant la Grande Allée pour le chic lieu de vacances. La locomotive à vapeur qui faisait teuf-teuf et ululait à tout bout de champ tirait cinq ou six wagons assez lentement pour qu'on puisse reconnaître le restaurant, le pullman, et constater si celui-ci était complet, si celui-là en avait terminé avec le dernier service, auquel cas on voyait le personnel en veste blanche desservant les tables. Pour notre part, nous taquinions encore un peu maman qui n'avait pas manqué de dire « Baissez vos jupes » à celles qui étaient assises sur les marches de l'escalier : « Des fois qu'un voyageur serait armé d'une longue-vue », repartie à quoi maman riait autant que nous.

– Où était le maître pendant que vous vous permettiez ces facéties ? Assis sur la véranda lui aussi ?

Non. Il était ailleurs, heureusement. « Ailleurs », c'est le mot qui fait rêver, c'est Paris aussi bien que Tombouctou, c'est là où est la liberté, la beauté. Longtemps, je n'ai pas su où le situer, cet ailleurs. Parfois, à peine avais-je imaginé où j'aurais pu le trouver que je comprenais qu'il dépendait d'un autre mot. Partir.

Dire que j'étais déjà au début de la vingtaine et que le vocabulaire de la liberté tournait encore autour de l'embarquement : navires, transatlantiques, *Empress of Britain,* gare maritime… Il ne me serait pas venu à l'idée que ce pût être le tramway. Ce fut le taxi. Le chauffeur, voyant que la course serait longue, se mit à faire la conversation. Je m'aperçus tout de suite qu'il me prenait pour une domestique qui quittait la maison où elle travaillait. « Vous laissez une belle maison. Belle mais pas bonne, hein ? » Il m'en faut peu pour me pousser sur le chemin de la fabulation. En un quart d'heure, j'avais dit, déjà, tout l'étage des chambres de domestiques, les trois petites pièces, la salle de bains. En vérité, je n'étais montée jusque-là que trois ou quatre fois. Je me souviens de l'odeur, toutefois (c'était celle du pin de Colombie dont étaient faites les cloisons), de leur couleur fauve satinée. L'odeur très puissante au début de la construction de ces séparations, celle de la résine du pin, s'était atténuée. Au chauffeur, je ne parlai que de l'inconfort de l'été qui était probablement réel et inévitable sous les combles dans une maison d'autrefois, sans isolation moderne et efficace. En réalité, tout ce pin était si beau que certains amateurs au courant sont venus le récupérer à temps, avant la destruction par le feu, ainsi que le bois des parquets en érable blond. Mais personne ne s'est emparé de la boule du pilastre de l'escalier. Ceux qui étaient venus une semaine avant la mise à feu, n'avaient pas vu la boule toute luisante, en conséquence de quoi elle m'avait été laissée par le hasard, le sort… Je l'ai toujours. Je m'aperçois que les souvenirs cruels peuvent être précieux aussi. J'avais quatre ans, celui-là est resté logé au fond de mes oreilles, l'âge ne l'a en rien extirpé, et le bruit, c'est celui d'un corps qui dégringole sur les marches de l'escalier. Et le cri, c'est le sien !

Je vante ma mémoire et j'oublie ce garçon qui mâchouille le bout de son stylo en attendant que je sorte de la lune. Justement, je crois qu'il va parler. Allons !

– Des gens qui vivent non loin, dont les maisons ne m'intéressent pas pour le moment, m'ont parlé à mots couverts d'un meurtre probable, d'une découverte macabre.

– Rien à voir.

– Je le pense bien ! C'est par association d'idées. La violence peut toujours dépasser les bornes qu'elle aurait dû se fixer, et la vie c'est fragile. On jette une femme ou un enfant par terre et le résultat est le même que si on lui avait logé une balle dans la tête ou dans le cœur.

– Ce que je connais de cette histoire, à quoi vous pensez, n'est peut-être pas complètement vrai. On serait porté à la grossir. Cela s'engraisse facilement, les histoires de campagne. Nous sommes vers 1920. Les conditions de la vie campagnarde favorisaient les vilains secrets et si un quelconque voisinage subodore « quelque chose », on n'hésite même pas à donner à croire au meurtre pour la bonne raison que si on était certain de l'impunité… En 1920, il y a déjà beaucoup de gens qui s'en vont coloniser au nord ou *weaver* au sud. On ne s'écrit pas et pour cause. On a peur du téléphone. Si d'aventure il se met à sonner, on se croit obligé de crier pour que la voix se rende aussi loin. Bref, tout ce qu'il faut pour favoriser le crime ignoré et parfait. Dans les faits, il semble que cela se soit passé comme « il » l'avait prévu.

– Qui, « il » ?

– Le gendre de la vieille dame en question.

– Ah ! une histoire de belle-mère !

– C'est un rôle que j'aimerais jouer au théâtre, ne l'ayant pu jouer dans la vraie vie.

– Celle du gendre en question a-t-elle été extra-ordinaire ?

– C'est surtout la vraie mort qui le fut et la vraie haine recuite partagée par les deux voisins, une haine que je qualifierais de frontalière. Avoir la même haie pour border deux prés, c'est parfois fort épineux, même si cette haie n'est pas d'aubépine, ce qui est rare, car avec les vaches à qui on fait allusion en disant que l'herbe est toujours plus tendre dans le pré du voisin, les haies sont bien utiles. Je vous raconte ce que j'en sais.

L'homme d'ici était tracassé, semble-t-il, de tous côtés : son voisin, oui, mais surtout sa belle-mère qui lui avait prêté de l'argent aux premiers temps de son mariage et qui réclamait ou, si elle ne réclamait pas, le harcelait de piques venimeuses pour chaque sou qu'il dépensait, alors qu'il ne payait pas ses dettes. Parfois, il rétorquait qu'on avait été bien content de le trouver pour épouser la fille alors que (et cætera tout au long !). D'autre part, elle avait aussi une bru. Je vous dis tout de suite qu'elle et son mari (l'autre enfant de la personne qui avait imprudemment prêté de l'argent) vivaient outre-frontière ou, comme on disait à la radio, outre-quarante-cinquième. La vieille dame prêteuse avait pris l'habitude de passer quelque temps ici et quelque temps là. Mais « quelque temps » ne voulait en rien signifier la même chose. Ce pouvait être deux mois ici et deux ans là. Elle arrivait sans prévenir. Quand elle en avait assez, elle descendait l'escalier, un matin, sa valise à la main – elle disait « mon *satchel* » – et se faisait conduire à la *station*. Jamais elle n'écrivait un mot ni ne téléphonait pour annoncer son arrivée à bon port. Elle savait à peine écrire et avait peur du téléphone. C'était peu après la Grande Guerre, et dans certaines campagnes on vivait encore comme après celle de 1870 (corsets à baleines compris).

Il y eut un matin où les choses semblèrent se passer comme chaque fois qu'elle quittait la maison de son gendre québécois. Comme d'habitude.

Comme d'habitude, il la reconduisit à la gare. Personne, à la maison, ne s'enquit des derniers moments avant l'embarquement. Derniers propos, dernières recommandations ? Il n'y en avait jamais, au reste ils se parlaient très peu dans l'ordinaire des jours. Le temps passa, personne n'en tenait compte, comme d'habitude. Mais tout se sait à la fin.

Une seule chose préoccupait la famille : le plus riche cultivateur de l'endroit voulait acheter leur pré situé à l'orée du bois. Il offrait gros prix. Refusé. À tout bout de champ, si l'on peut dire, il y revenait sous prétexte qu'il augmentait son offre. Elle fut finalement acceptée, mais par l'aîné des fils. Le père venait de piquer du nez dans son assiette à la fin du repas dominical. En revenant des funérailles, un regard interrogateur, à quoi un mouvement du menton répondit discrètement, et le marché fut conclu.

C'est ainsi qu'un jour de printemps, en curant un fossé pour déloger une famille de rongeurs, on découvrit, bien enfoui, le squelette d'une femme âgée. Rien ne l'identifiait, pas un bijou, pas un débris de vêtement. Bien sûr que l'acide désoxyribonucléique existait depuis très longtemps (le pithécanthrope avait déjà le sien), mais il attendait toujours de faire parler de lui.

Les enquêtes d'outre frontière révélèrent que la mort avait sévi sur les parents les plus âgés. La jeune génération n'avait pas eu la curiosité de chercher à savoir pourquoi leur grand-mère n'était jamais revenue faire sa visite habituelle, comptant sur la vieillesse ou la maladie pour l'expliquer et sur le silence que nous appelions, en riant, « congénital » quand nous parlions de l'espèce rustaude qui peuplait un certain kilomètre carré. Nous n'étions pas les seuls à nous moquer. Tout leur voisinage riait de ces gens qui passaient des heures, des jours et peut-être des semaines sans ouvrir la bouche que pour manger et surtout boire.

Boire quoi ? Des sortes de tafias qu'ils tiraient de pommes de terre ou de maïs, de cerises, qu'ils faisaient fermenter suivant les saisons. Ce n'était pas bon, mais cela soûlait quand même. Toutefois, cela ne déliait pas la langue pour autant, au contraire.

Le nouveau propriétaire, effrayé par sa découverte, alerta la mairie. Notre petite délégation vint constater « la présence dissimulée dans un fossé d'un squelette recouvert de branches et d'un peu de terre ». Les bêtes n'avaient pas respecté le cadavre. Au reste, le temps et la tranquillité avaient permis aux choses d'aller leur petit chemin. Au soir de ce jour, les langues se dégourdirent un peu, à la maison du grand-père qui n'avait été que le gendre, en son temps. Si certains pensaient que les ossements découverts étaient ceux de l'arrière-grand-mère, personne n'eut l'audace d'évoquer cette éventualité. Il n'en fut pas ainsi à la mairie. De fil en aiguille, il fallut bien arrêter les recherches à la seule femme âgée de la paroisse qui n'était ni chez elle ni au cimetière. Par hasard, j'étais là. Je voulais acheter un bout de terrain et savoir s'il n'y avait pas de servitude sur celui que je lorgnais.

– Mais, monsieur le Maire, elle allait aux États-Unis aussi. Elle a pu mourir là, dit une des filles de la jeune génération.

– On aurait averti votre famille.

– Pourquoi ? Si j'en crois le souvenir que je garde de mes parents et de mes grands-parents, je ne pense pas qu'ils auraient averti la famille américaine si ça c'était produit ici.

La vieille dame laissait sans doute un peu d'argent, en l'occurrence un coffret plein de pièces d'or qu'elle amassait une par une tous les ans. À chaque déplacement, elle les apportait avec elle. La douane du temps n'était pas fouineuse. Le cas échéant, si elle était morte chez eux, les Américains n'auraient jamais songé à partager avec les cousins canadiens. Alors ? N'est-ce pas ? Personne ne s'étonna qu'elle eût oublié son coffret au coin de son tiroir quand on le découvrit en disposant de ses petites affaires. On se dit que les personnes âgées font toujours de ces oublis : une petite boîte verrouillée !

Quand je repense aux habitants de ce mille carré, comme on l'appelait, j'en revois quelques-uns, les plus anciens, que la civilisation n'avait guère touchés : tous cousins depuis longtemps, plusieurs sourds-muets, plusieurs bègues, etc.

D'enquêtes en investigations il fallut opter pour la grand-mère, à moins d'être prêt à remonter dans le temps jusqu'à l'Ancien Régime. On avait bien trouvé dans ce pré trois ou quatre boulets de canon qui dormaient sous une épaisseur de sol qui n'avait pas été remué depuis 1760. Entre-temps, le maire était venu interroger mon père. Certains habitants du mille carré avançaient qu'il avait été propriétaire de ce pré avant 1920, mais l'avait revendu à celui que « nous soupçonnons » maintenant. Ce maire était physiquement – au contraire de mon père qui était bel homme – de la même espèce que ses administrés : visage ébauché dans la pâte à modeler, démarche qui rappelait douloureusement que nous descendons de qui vous savez, certains plus directement que d'autres.

– J'ai connu quelques spécimens de cette espèce. Il en reste toujours qui ont essaimé jusqu'à la ville, laquelle d'autre part s'est sans cesse étendue.

– Puis-je vous citer dans mon article ?

– Vous voulez m'attirer des ennuis avec les représentants de l'espèce ? Il y en a qui vivent encore sur le fameux mille carré. Vous pouvez écrire ce que vous voulez. Vous pouvez même ajouter que j'ai employé le mot *pithécanthrope* ou *anthropopithèque* si vous préférez. Cela me fera respecter des non-instruits.

– Comment tout cela s'est-il terminé ?

– Le gendre avait eu beau crier misère quand sa belle-mère vivait « à ses crochets », prétendait-il pour contredire les propos de celle-là sur la dette jamais remboursée, rien ne l'avait empêché de thésauriser toute sa vie et son père avant lui. Cela se savait. Peut-être bien aussi que certains connaissaient l'histoire des pièces d'or, très possiblement multipliées dans les conversations. Quand, devenu grand-père et grand-père un peu trop porté sur la fourchette et le petit verre, il rendit son âme à Dieu, on avait trouvé dans ses tiroirs un document prouvant qu'il avait fort généreusement participé à la caisse d'un représentant du peuple. Après quoi, on n'entendit plus parler de cette affaire. Le dossier se ferma tout seul. Le député-maire fut réélu, le petit-fils du défunt grand-père fit remblayer le fossé peccamineux et tout fut dit, sauf derrière la main dans les veillées du samedi.

– Et qu'advint-il de ce domaine que votre père avait constitué autour de la maison acquise vers 1916-1917, c'est-à-dire bien avant le pré ?

– Ce domaine que le pré prolongeait jusqu'au chemin du Roi fut quelque temps exploité avec l'aide indispensable d'un fermier. Mon père, pas cultivateur pour un sou, et tout occupé de son vrai travail, ne pouvait s'y promener que le samedi après-midi, ce que nous appelions faire la semaine anglaise.

– Ce système dura longtemps ?

– Un jour il lui vint, directement du ciel, l'idée de faire ses comptes. Après avoir dû payer grosse somme pour faire réparer une de nos machines aratoires, il s'aperçut que cette autarcie lui coûtait une fortune et rapportait très peu. Le fermier regagna le lieu de sa naissance, les champs, les prés, le verger retournèrent à la friche. Le pré d'en haut finit par être vendu, je l'ai déjà dit. Le nouveau propriétaire entreprit de faire curer tous les fossés, pour assainir le sol devenu marécageux. Il n'en fallait pas plus pour réveiller les racontars. On le surveillait. S'il trouvait « quelque chose », il faudrait voir comment il réagirait. Ce n'était peut-être pas pour rien qu'il avait tellement voulu ce bout de champ.

– Trouver « quelque chose »… comme quoi, par exemple ?

– Sait-on ? Une chaussure déplacée par les bêtes, ou une phalangette tombée toute seule.

– Est-ce que tous les résidants du lieu furent soupçonnés ainsi ?

– Oui, même mon père : ce n'était peut-être pas pour rien qu'il s'était défait de ce pré !

Un soir, la petite délégation du mille carré nous apparut encore au bout de l'allée conduisant à la route. Nous étions encore à table à 7 heures, ce qui sembla stupéfier ces bonnes gens. Mon père quitta la salle à manger et les fit entrer dans son studio. Le chef de la délégation tenait tout prêt un questionnaire qui avait dû être le même pour tous.

« Vous avez bien connu les époux D* ? Ils vivaient toujours quand vous êtes arrivés. Excusez-nous pour ce questionnaire, autrement, on oublie toujours quelque chose.

– Oui, ils étaient là ! On ne peut pas dire que je les ai bien connus. Vous savez comment étaient tous ces gens-là. Bouche cousue de naissance, ne l'ouvrant qu'à peine pour laisser passer le dernier soupir. C'était congénital. »

Celui qui posait les questions interrogea ses compagnons du regard, mais aucune explication du mot difficile ne parvint plus loin que le haussement d'épaules.

« C'est vrai qu'ils étaient pas parlants, dit l'un d'eux. Le vieux à qui j'en avais fait la remarque me répondit qu'on en racontait toujours trop, qu'on ne savait jamais à qui on se confiait, même pas sa propre mère. »

Là-dessus, mon chroniqueur a changé de carnet. Et de sujet.

— Vous m'inspirez le désir de faire aussi une série d'articles sur les vrais habitants des coins préservés par ici, dit mon journaliste. En visitant les maisons, je pose quelques questions discrètes et c'est bien le diable s'ils n'y en a pas un de temps en temps qui serait prêt à entrer dans la voie des confidences et, même, des confessions. Les confessions ne sont pas toujours le fait de l'intéressé au premier chef. On confesse plus utilement les quelques « rapportés » dans la famille.

— *Rapporté* ? C'est un mot du cru ?

— Cela signifie de la belle-famille. Ceux que ma cousine appelle *my in-laws*. Il y en a par ici qui ont un sacré bout à dire. Si on veut en apprendre long sur les petits et les gros scandales dans l'histoire des familles, les rapportés ont de la ressource. D'abord, ils ne se sentent pas solidaires et il est rare que de petites inimitiés n'aient pas surgi au cours des ans, ce qui pousse aisément de la médisance à la calomnie.

— Je vais vous dire. On n'imaginait pas un individu sur qui il n'y aurait rien à dire. Cela finirait par susciter des soupçons. Quels soupçons ? Si on parvenait à les faire tourner autour du sexe c'était tout bonbon. Si par hasard il arrivait de nouveaux venus dans le voisinage et qu'ils vivaient discrètement, toute la peuplade du carré s'émouvait. « On ne m'ôtera pas de la tête qu'ils sont venus ici parce qu'ils ont de quoi à cacher. »

– « De quoi ». Vous me surprenez avec ce vocabulaire villageois.

– Ceux qui l'employaient s'amusaient bien plus. Ah ! le plaisir de soupçonner. Il faut les entendre : « Ils prennent la route tous les dimanches matins, avant la messe – il est vrai qu'il y a d'autres paroisses le long de la route –, et ne reviennent qu'à la nuit tombée. » Voilà un mystère qui occupe tout le carré. Ah ! on y tenait fort !

Quand on a fini par apprendre qu'ils allaient voir leur fille pensionnaire dans un couvent de la ville et qu'ils s'arrêtaient au retour pour visiter leurs vieux parents, la déception a suscité de la colère.

– Quelle charmante histoire rustique. J'en ai eu connaissance. Le carré étant ce qu'il était, cela fit rire avec grande moquerie toute la population avoisinante.

C'est vers ce temps-là que survint un malheur qui souleva l'indignation générale. Depuis notre arrivée vers le début du siècle, le ravitaillement en eau ne causait aucun problème. Elle nous venait d'une source assez lointaine, laquelle remplissait sans discontinuer un puits bien clos par une importante maçonnerie cadenassée. Son eau était délicieuse, fraîche l'été comme l'hiver. Puis soudain, elle prit une odeur suffisamment douteuse pour que nous cessions de la boire immédiatement. On dépêcha le fermier pour y voir. Ce qu'il y trouva ne fut révélé qu'à mon père. Un puits artésien fut creusé près de la maison, puis l'aqueduc municipal nous permit de vivre comme au XXe siècle : l'eau pour tout le monde et non pas chacun son eau. Fin de l'histoire de l'eau. Sauf qu'on s'interrogeait toujours sur l'origine de cette sorte de guerre, le fait d'une malveillance, mais qui, pourquoi ? Qu'avait-on trouvé ? Certains dirent une vache morte.

– Il faut être costaud.

– Pour détruire la maçonnerie aussi.

Bref, si on ne parlait plus de l'eau même, on parlait tous les jours du puits. Mon père cuisinait les interlocuteurs imprévus rencontrés sur sa route.

« Vous n'êtes pas très aimé, monsieur, finit par avouer l'un deux.

– Pourquoi chercherais-je par des compromis à me faire aimer ?

– De quel compromis parlez-vous ? On vous a demandé, ou offert, quelque chose d'inacceptable ?

– On n'oserait pas. »

Il y eut un silence d'autant plus lourd que cette conversation se tenait dans le studio où ce membre du conseil municipal avait été introduit pour je ne sais quel motif. J'écoutais, ignorée et médusée, de la pièce voisine.

« Justement, monsieur, on n'ose même pas vous saluer de loin, on se sauve. Quel compromis, monsieur ? »

Je m'interrogeais aussi.

« On pourrait me demander combien j'ai réellement payé les terrains environnants et qui a maintenant cet argent dissimulé dans une banque étrangère… »

– Je vous raconte là de bien anciennes choses. Comme je vous disais, la douane, là où elle existait (tous les familiers connaissaient de petites routes privées qui vous déposaient outre frontière sans que rien ne vous en eût averti), n'était pas fouineuse. Ce qu'elle connaissait, elle le gardait.

Mon chroniqueur-journaliste prend quelques notes en rougissant de plaisir et remarque qu'il fallait un sacré culot pour interroger mon père de cette façon.

– Je peux bien vous le dire : on racontait autrefois, selon les souvenirs de mes parents, qu'avant-guerre, il avait mis sa fortune à l'abri. Où ça ? L'histoire ne le dit pas. Quant aux banques, est-ce bien secret, la caissière est-elle discrète ? Je vous fais rire ?

– Si vous me promettiez de n'en pas parler dans vos articles, je vous dirais un secret, un vrai.

– Un secret que même la femme du pharmacien ignore ? Pourquoi celle-là ? Parce qu'elle sait tout sur tout, tout ce qui se passe, ce qui se dit, ce qui se fait. Tout ! Vous riez toujours. Ce n'est quand même pas la recette du savon de ménage qu'elle ignore.

– Ah ! ce pourrait être. S'il reste une personne dans le village qui la connaît et qui la garde jalousement…

Nous avons discuté un moment sur ce sujet. Patrimonial s'il en fut. Ce garçon est amusant et charmant, en prime. Il me dit que je suis exceptionnelle, entre exceptionnels on s'entend, cher monsieur. Il rougit encore une fois. Il s'en excuse, c'est-à-dire qu'il s'en explique : il est timide sous des dehors assurés. Sa mère l'était aussi. Seulement lui dire : « Cette robe vous va bien » lui rougissait le visage d'un bel écarlate, mais s'il s'agissait de défendre son opinion sur la politique ou la culture, ou les religions, rien ne la faisait changer de couleur. Il parle d'elle

avec ferveur. C'est bien. Il dit « maman », mais
« mon père ».

Nuance.

Je ne me souviens pas sur quoi nous avons bifurqué
après notre dissertation sur le savon de ménage. Mon
chroniqueur, qui a meilleure mémoire, retrouvera sans
doute le fil de notre propos. Nous avons fait le tour des
racontars et des potins qui circulaient sur le compte
des rustauds du « carré ». Il y a de tout, à commencer
par la disparition de la grand-mère jusqu'au simple
déplacement des bornes qui jalonnaient les champs
du gendre vers l'intérieur des champs de ses voisins,
ensuite sur les infanticides soupçonnés – la fille du
cousin Y* qui a promené partout et tout l'été un
ventre indiscret, lequel a disparu comme il était venu
et sans qu'on lui connaisse le moindre soupirant.
Ce qui fit parler mais, curieusement, ce dont il était
question le plus souvent, c'était la façon dont « ils »
avaient amassé leur petite fortune. Trafics divers qui
prospéraient d'autant mieux qu'ils se pratiquaient dans
des milieux qui n'en avaient pas encore connus.

– Sauf les alcools tirés de tous leurs tafias.

– Ça, c'est autre chose. Bref, encore une petite
cotisation à la caisse du parti et tout fut dit.

– Et le puits ?

– Nous fîmes enlever la maçonnerie, le couvercle, le cadenassage. Comme il se remplissait puisque nous ne prenions plus son eau, il donna naissance à un petit étang où venaient s'abreuver le bétail et même les oiseaux du ciel. À ma connaissance, il n'y eut plus personne de la famille qui s'aventura jusque-là. On disait dans « le-clan-ennemi-de-ceux-du-carré » qu'il y avait des ossements dans le fond de l'étang.

« Des os de vache », répondaient les autres.

« De toute petite vache, alors », répliquaient les premiers.

– Voilà une bonne chute pour mon papier, dit mon chroniqueur en revissant le capuchon de son stylo. Avez-vous faim ?

– Toujours ! Toujours faim, toujours soif, toujours contente.

– Et toujours amoureuse.

– Ah ! on verra… si cela me reste rendu. L'avenir est long.

– Et le secret promis ?

– J'ai changé d'idée, c'est un secret trop secret.

Québec, octobre 2004 – novembre 2005.

Éloge de la marche

Nous avions un automne détestable. Comme souvent ! Mais, chaque fois, chaque fois qu'il est mauvais, nous croyons vivre le plus mauvais de tous. S'il s'est démenti, on se demande à quel saint on le doit, quatre fois sur cinq. La plupart du temps, il ventait, comme on disait à la campagne, « à écorner les bœufs ». Il semble que les bœufs soient de plus en plus exposés à perdre leurs dangereux attributs.

Ce jour-là, j'achève ma promenade, décoiffée et grise de poussière. L'air est chargé de saletés tourbillonnantes. Mais voilà un petit butin venu à ma rencontre, poussé par une bourrasque qui s'est arrêtée pour ainsi dire entre mes pieds. Une enveloppe cachetée mais non timbrée. La pluie – je n'ai pas encore parlé de la pluie de cet automne-là – ne l'a pas respectée. Elle lui a lavé l'encre de l'adresse qui n'est plus du tout lisible, réduite à quelques traces bleuâtres. J'ai beau la tourner sur ses deux sens, espérant trouver une trace creuse faite par le stylo, il ne me reste plus, une fois rentrée, qu'à décacheter l'enveloppe dont le rabat ne tient qu'à peine, lavé lui aussi. Bon ! une feuille de beau papier, deux billets de banque de cent dollars chacun, fort usés. J'apprendrai en lisant la lettre que ces billets remboursent l'ultime reliquat d'une dette qui semble avoir été difficile à éteindre, je ne sais pas pour quelle raison.

« Vieille dette, vieux billets », dit l'auteur de la lettre, qui ajoute : « Je les tiens de tante Maria qui les a sortis d'un coffret bien cadenassé où il y en avait une bonne quantité. Tout cela s'est passé à la dernière visite que je lui fis. » Ce n'était pas là la fin de la lettre qui devenait au fur et à mesure de plus en plus ambiguë et confidentielle.

Dans l'enveloppe, je trouve aussi une feuille d'arbre. L'automne l'a dorée. Elle est tombée d'un des ginkgos de la rue du Marché qui est fière d'en avoir toute une rangée. Que fait là cette petite feuille ? Une allusion à un événement agréable ? Le ginkgo pourrait être le symbole de quelque chose d'éternel. Un amour ? Mystère.

Si je retrouve l'héritier en question, ce sera bien par le plus chanceux des coups de dés. La lettre fait aussi état d'un grand bonheur dont il a été question dans une lettre précédente et puis les propos sont de plus en plus mystérieux, obscurs et peut-être même menteurs.

Que faire de cette enveloppe et de son contenu ? D'abord, avant de me donner du mal pour faire paraître des « avis » dans les journaux, je vais passer à ma banque et vérifier si ces billets sont vrais. Si ce sont des faux, je demanderai à ce qu'on se charge de les détruire et, si tout cela finissait par ce que je pense, j'aurais des témoins sérieux pour se porter garants de ma conduite.

Pourquoi n'avoir pas jeté tout cela au feu ? Ah ! si j'avais eu encore un foyer ! Depuis qu'il nous avait fait un feu de cheminée, il avait été démoli. Je l'ai beaucoup regretté, mais avec les vents furieux qui soufflent tout l'hiver ou presque, le tirage devenait excessif, d'où le feu de cheminée. Puis, cette enveloppe et son contenu avaient peut-être été perdus par une tierce personne chargée de la déposer à la poste et sur qui les soupçons, s'il y avait à en avoir, se seraient reportés. Trêve de suppositions à rebours, je reprends mon récit.

Chaque fois que j'emprunte la rue du Marché, j'imagine dès lors que je vais apercevoir quelqu'un regardant sous les buissons, à qui je pourrais demander

s'il cherche quelque chose et qui répondrait affirmati-
vement. Parfois, j'entre dans une des boutiques
que je fréquente et que ma maman connaissait
aussi. La libraire (sa maman aussi), le coiffeur,
l'antiquaire, le dépanneur (celui-là plus récent),
le marchand de journaux, de revues, de cigarettes.
Dernièrement est arrivée une boutique de mode.
Tous ces commerces se sont établis au fil des ans
dans des maisons d'habitation. Les boutiquiers se
sont installés au rez-de-chaussée et vivent dans les
étages. Leur échoppe fermée, ils n'ont que l'escalier
à gravir, ce qu'ils ont fait une ou deux fois pour
mettre le repas au mijotage. On sent les effluves si
on s'y arrête dans les derniers quarts d'heure. Tantôt,
c'était une gratinée. Ah ! si par miracle la libraire
m'avait invitée, j'aurais aimé accepter. Je sais ce
qui m'attend chez moi : quatre invités qui doivent
avoir faim !

En quittant la librairie, j'ai promené un œil
inquisiteur de tous côtés : il s'y trouve des raseurs
à cette heure-ci – assez souvent. Ils viennent de
quitter leur travail, ils commencent déjà à s'ennuyer.
Rue déserte. La légende de notre ville veut qu'elle
ait porté autrefois un nom anglais et que le temps
se soit accommodé d'un nom plus usuel. Une rue
appelée Mountain par les uns, qui honoraient ainsi

un *bishop,* et de la Montagne, par les autres, ça s'est déjà vu.

La libraire… Elle me connaît bien. Chaque fois, elle me fait un colis très lourd pour mon bras. Vivement, je traverse les trois rues transversales toujours baptisées sur les mêmes fonts, mais non traduites.

Je me suis arrêtée au salon du coiffeur pour prendre rendez-vous. Il voit beaucoup de femmes et quand j'aurai pu bâtir quelque scénario autour de cette lettre, scénario possible et même probable, ce garçon me sera peut-être utile. Il est potinier comme pas un, et si l'aventure, réelle ou supposée, de la lettre perdue finissait par entrer dans son salon par le truchement d'une cliente amie de « la personne », le doux confort que provoquent la tiédeur, le parfum et aussi le bien-être du cuir chevelu shampouiné, séché avec un petit appareil chaud et légèrement bruyant, l'aimable sensation de repos, tout cela invite au commentaire, à la confidence, à l'indiscrétion. J'inventerais le propos qu'elle pourrait lui tenir :

– Je pense justement à madame X*, mon amie, qui a perdu une lettre qu'elle était chargée de déposer à la poste, une lettre importante. Elle est bouleversée à n'en plus dormir. Elle aurait besoin de passer un moment sur votre fauteuil. Cela la détendrait.

Cependant je n'en dirai pour ma part jamais aussi long à ce charmant garçon qui voudrait toujours m'aider dans mon métier. Il voudrait me trouver des sujets d'article qui me rendraient célèbre dans toute la rue et tout le quartier. Il m'a dit qu'il organiserait une petite troupe qui, à mon anniversaire, chanterait sous mes fenêtres. Une extravagance de coiffeur.

C'était l'heure de fermeture et, pour moi, plus que le moment de rentrer. Mes invités sont probablement à m'attendre en prenant un verre en face.

Chaque fois que j'emprunte la rue du Marché, je me revois, je revois mon étonnement en apercevant cette fameuse enveloppe s'immobilisant entre mes pieds. On imagine que, à ce moment-là, je regarde tous les passants que je croise. Aucun ne semble inspecter les recoins, et il y en a, avec tous ces escaliers, ces haies servant de limites. Autrement, j'ai du plaisir à remarquer le nombre important de personnes élégantes, oui, mais un peu à l'ancienne. Des gants en été, blancs si ça se trouve ! Au reste, il y a quelque chose de presque guindé qui se manifeste de plusieurs façons. Si vous étiez invité dans certaine maison, vous voyiez souvent d'admirables meubles anciens et vous y rencontriez, parfois, un antiquaire venu chiner à domicile. Quand on pense à ce que tout cela vaudrait aujourd'hui... Lorsque mes arrière-grands-parents ont adopté ce quartier, ma maman et mes oncles, encore enfants, apprirent à parler l'anglais rien qu'à jouer dans le parc avec les enfants voisins. L'anglais des enfants, une centaine de mots. Puis, cela s'est perdu, faute d'usage, quand les habitants ont pris l'habitude de passer les congés à la campagne. Maintenant, la population n'est plus la même ; celle d'autrefois avait ses idiosyncrasies bien à elle qui tenaient à des origines remontant vers 1760, quelques familles ancrées rue du Marché dans leurs belles vieilles maisons, certaines agrémentées d'un jardin et même d'une pièce d'eau, le tout souriant, vert tendre, fleuri en plates-bandes bien alignées.

Entre-temps, mes quatre invités, que je m'excuse d'avoir fait attendre, sont là.

– Chère amie, me dit le plus intime (qui peut me blaguer sur ma façon de parler), vous n'écoutez jamais la radio ?

– Pourquoi dites-vous ça ?

– Parce que vous êtes la seule, maintenant, à dire quatre invités. Si vous écoutiez la radio, vous diriez quatre-z-invités, quatre-z-amis, quatre-z-assiettes. C'est l'arrivée du quatuor. Moi, j'écris « quatres », comme cela c'est plus simple.

– N'écoutez pas mon mari. Il a entendu, ce matin, quatre-z-élus. Il a commencé par fulminer, puis il s'est mis à la moquerie. Tous les mots commençant par une voyelle y passent.

Je l'entends qui chantonne « Les quat'z'arts avaient fait les choses comme il faut… » C'est tout lui, dénoncer et fredonner. Je comprends que nous soyons amis !

– On rit bien, mais combien de vieilles fautes, avec le temps et l'indulgence, ont reçu l'absolution et sont passées du côté de la perfection. Enfin, Malherbe vint… À propos, je vous ai entendu prononcer le mot « bavardise ». C'est un vrai mot ?

– En tout cas, cela peut se dire, la preuve ! Si jamais quelque linguiste s'interroge là-dessus, il saura que cela a été inventé ici et aujourd'hui. Justement, nous avons parmi nos invités un professeur de français, et qui écrit de fort bons livres, il en sera premier témoin.

Il reste que notre rue du Marché et celles qui la traversent sont peu à peu infiltrées par des échanges de potins qui figent des grappes de passants à tous les coins. On ne sait comment l'affaire de la lettre que le vent a roulée d'un bout à l'autre a été connue partout et suscite des propos bizarres. On parle de vol, de lettre volée ou trouvée qui contiendrait une fortune en billets de banque, et comme une enveloppe ordinaire n'est pas extensible à l'infini, il s'agirait de billets de mille.

Je prends le parti de ne rien dire. Je veux laisser cette affaire mourir de sa belle mort. J'ai eu une fière idée d'aller consulter mon banquier quant à l'authenticité et la valeur de ces vieux billets et de les laisser entre ses mains. Je viens de recevoir la réponse par le courrier : les billets sont faux et, de plus, ils datent de la guerre. On me demande s'il y a un nom que j'ai trouvé dans ces papiers et qui pourrait être relié à la possession de ces billets : « Dans votre quartier tout le monde se connaît. »

J'ai répondu sans attendre, par lettre également. Des appels téléphoniques ne constituent pas un dossier. J'ai rappelé que l'enveloppe est venue se loger entre mes pieds au coin des rues du Marché et Brunswick. La lettre qui accompagnait les billets n'était signée que d'une initiale, celle du neveu d'une personne désignée par « Tante Maria », morte « récemment ». Mais comme la lettre n'est pas datée, on manque de référence.

Le banquier m'a suggéré d'aller éplucher les pages nécrologiques des journaux locaux. J'y pourrais découvrir une notice annonçant le décès d'une femme âgée prénommée Maria qui laisserait « pour pleurer sa perte » une nièce dont le nom serait connu dans les environs.

En attendant quelque résultat, j'ai repris l'habitude de ma promenade santé, rue du Marché. Je m'en écarte un peu pour faire quelques pas de plus dans Villebonne, petite rue charmante où des amis très chers ont leur demeure. Je m'arrête parfois quand il est une heure convenable. Je ne leur ai pas encore dit un mot à propos de l'enveloppe. Ils vivent dans le quartier depuis une vingtaine d'années et connaissent beaucoup de gens qui sont devenus, peu à peu, des voisins-amis-de-toujours.

Quand je suis revenue dans ce quartier où je suis née, j'avais vingt ans de plus. Je vivais avec un charmant compagnon, le seul de ma vie à vrai dire. J'avais eu d'autres amours. Ce serait une vie bien triste que celle où il n'y aurait pas un qui prime les autres. Aussi, ce quartier restera le mien. Il n'est pas de jour où je ne passe par les mêmes rues, sous les mêmes arbres, devant les mêmes maisons… Les arbres sont très beaux.

Ce serait bien que l'enveloppe ait été poussée par le vent sur toute la longueur de la rue du Marché et que cela m'intrigue autant, surtout si cette histoire est destinée à se bien terminer. Pour le moment,

je ne vois rien venir, ni bien ni mal. Pas de jour
où je ne repasse par les mêmes venelles. Certains
coins sont superbes non seulement par l'élégance
des façades, mais par les parterres, le temps des
lilas, celui des tilleuls dont le parfum enivre par
les soirs tièdes où je revis les moments si précieux
que le sort me réservait. Quand j'ai fait ce choix,
je n'avais au cœur aucun pressentiment. Ces rues,
c'est maintenant l'amitié qui les habite et si ce n'est
elle, c'est son souvenir.

— Êtes-vous au courant de cette affaire ? On me
parle de fausse monnaie, de bijoux volés, d'une
épingle d'or. D'autres prétendent qu'on aurait
découvert, à la bibliothèque, entre les pages d'un
livre vieux d'une cinquantaine d'années (au
moins...), une lettre d'un auteur autrefois célèbre
que ses descendants veulent ravoir, elle serait plus
qu'indiscrète et concernerait des événements ayant
eu lieu ici et aussi en France.

— Pas étonnant qu'il y ait eu amalgame, dit ma
voisine, vous verrez que cette lettre concernant
l'époque de la Première Guerre, si cela se trouve,
sera confondue dans les potins avec celle qui s'est
trouvée dans l'*enveloppe*.

L'histoire que je connais n'est pas du tout celle
à quoi il est fait allusion.

– La voilà : un client de la bibliothèque a fait l'acquisition d'un lot de romans un peu délabrés, comme elle en offre en vente de temps en temps. En les rangeant avec quelques autres destinés à être portés chez le relieur et qu'il feuilletait soigneusement selon son habitude – assez fructueuse parfois –, il a trouvé cette lettre indiscrète. Assez indiscrète pour avoir été conservée jusqu'à sa survenance dans le roman de B*. On ne conserve pas cela pour rien, c'est coté en bourse.

– Laquelle ?

– Celle des salons. J'ai connu en ma prime jeunesse un temps où ce qui s'appelait localement le « placotage » faisait vivre les conversations de toute la ville : « Madame Une Telle a été vue dans la voiture de monsieur Z*. – Alors là, il ne lui fera pas grand mal ! » Et voilà un potin d'ici parti dans les deux sens. Bref, il y a encore des saisons pour cela.

J'en recueille des bribes, ici et là, car mes curiosités n'allaient pas plus loin que ce qui se disait alentour et personne encore n'a relié mon nom à ce minuscule mystère. Seul un petit « coulage » était sorti du presbytère. En ce temps-là, il s'en passait des choses dans ce lieu, et il s'en disait !

De toute façon, quand les billets seront détruits, il n'y aura plus aucune raison à fouiller cette histoire, si ce n'est au point de vue historique justement. Au temps de la guerre 1939-1945 on a entendu parler de cette façon de déstabiliser un pays, l'inonder de fausse monnaie, arme encore agissante après beaucoup d'années. Mais est-ce bien utile de savoir ce qu'une fausse fortune fait dans le coffret d'une vieille dame ? Pour ma part, je me demande si, maintenant, le neveu de la tante Maria sait que les billets étaient faux, s'il a réussi à payer sa dette, et comment ?

Autres péripéties dans le quartier. Petits cambriolages dont sont victimes plusieurs de nos boutiques, surtout pendant la fin de semaine. Mon ami l'antiquaire a décidé de passer la nuit dans son bazar, comme il dit, le vendredi soir et le samedi. Il me raconte cela d'un ton moqueur.

– Allez-vous vous munir d'une arme à feu ?

– Le mot revolver vous insupporte ?

– La chose encore plus.

Il ne sait pas. Il en a quelques-unes qui font partie de sa marchandise, mais il n'a pas de munitions. Au reste, il ne veut pas tuer, seulement faire peur. Pour cela, il lui faudrait ne pas éclairer, auquel cas il inspire plus d'envie que de terreur. Il a racheté ces pistolets d'un vieux comédien qui jouait toujours les rôles armés, bandit ou policier, soit dit sans malice.

Les lieux d'approvisionnement ne manquent pas. L'époque est grande pourvoyeuse de ce genre de choses.

Le dépanneur a tout ce qu'il lui faut pour se défendre. Il ferme tard, à l'heure où le crime bat la rue, et le policier – le vrai – qui fait sa ronde, s'arrange pour se trouver à proximité à ce moment-là. Maintenant que l'hiver est arrivé, le bruit des pas est étouffé par la neige. L'instant où le commerçant déverrouille par en dedans, sort et reverrouille par dehors est crucial. Il n'est plus jeune. Il se trouve que le samedi et le dimanche sont des jours de boustifaille prête à consommer : pizzas, frites, gâteaux, conserves, de sorte qu'il y a toujours plus d'argent dans le coffre même si les cigarettes, à présent… Quand ce n'est pas la recette ainsi gagnée, ce sont les provisions en attente qu'on chaparde.

Enfin, la réunion projetée depuis une ou deux semaines a trouvé une date facile pour tous. Ce sera le prochain vendredi, chez lui. Son magasin peut être éclairé jusqu'à la fin de la soirée sans attirer la curiosité. Il y a une arrière-salle où plusieurs personnes tiennent à l'aise, où aucun bruit ne nous parvient. De là à conclure qu'aucun bruit ne s'en échappe, c'est tout logique. Je suis arrivée la première. De cette façon, rien ne se dira que je n'aie entendu.

Je disais que les premiers propos échangés ne se retrouveraient plus au cours de la réunion. En effet, chacun a voulu faire état des torts qu'on lui a causés. J'ai laissé parler tout chacun.

L'antiquaire en a gros sur le cœur. On lui a pris des tasses de porcelaine de Limoges.

– J'ai d'abord cru que c'était tout. C'était bien assez car, *horresco referens,* une des petites tasses avait perdu son anse, là sur la tablette. Puis, j'ai vu que l'armoire avait été crochetée, sa jolie serrure abîmée. J'y gardais un grand plat d'argent fin, enveloppé de finette bleue. Ma pièce principale ! Si je vous en parle, vous comprenez qu'elle n'est plus là.

D'une seule voix, nous avons tous dit que les assurances, « car vous en avez ? », etc.

– D'où vous venait cette belle pièce ? D'Angleterre ?

– Peut-être bien. Mais elle vient surtout de mon arrière-grand-mère.

– Et vous la mettiez en vente ?

– Pas tout à fait, on ne sait pas ce qui peut arriver.

– Comme vous dites !

Là-dessus, silence consterné. Constatant qu'on n'attendait plus personne, notre hôte sert à boire. Du

bon. « Du qui-a-traversé-l'océan-et-avec-courage »,
dit mon ami le coiffeur.

– Même si on ne m'a pas invité, ai-je droit à une
petite place ici ?

C'est l'agent. En faisant sa ronde, il s'est aperçu
que tous ceux qui tenaient boutique, échoppe ou
salon se dirigeaient de ce côté. Il a sorti un carnet
pour prendre des notes. Je le regarde en tapinois,
comme dit Molière. Comme il est beau, propret,
bien peigné !

L'antiquaire et l'épicier du coin – on dirait le
titre d'une fable – ont repris leur histoire. L'agent
se demande si ce plat d'argent était mentionné dans
quelque liste prouvant qu'il était parvenu ici en toute
légalité, douane comprise. Les arrière-arrière-grands-
parents – lui était jeune médecin sous le Régime
français – avaient tout loisir d'apporter leurs petites
richesses dans leur nouveau pays. C'était souvent
de l'argenterie qu'on pouvait facilement vendre au
besoin. Il semble que ce besoin ne se fit jamais sentir
à ce point puisque l'antiquaire et ses aïeux ne l'avaient
pas mis en vente jusqu'à présent.

– C'est une pièce unique, le voleur la trouvera
difficile à écouler.

– Qui nous dit que le voleur ne soit pas un connais-
seur d'ailleurs, auquel cas il voudrait l'exposer, s'en

parer en quelque sorte. Il aurait probablement fait faire le coup par un autre.

– Un des voleurs de pâtisseries ?

Petit succès de rires.

– Cela réduirait le nombre des suspects. D'après les empreintes, ils sont six, c'est peu.

– Il y en avait peut-être qui portaient des gants.

– Est-ce que les gants ne laissent pas de traces, surtout s'ils sont sales, et ne peut-on trouver à qui appartient cet élément du vol ? Le gant !

– Mais, il se peut que les gants aient été volés !

Je voudrais dire « Un peu de sérieux ! » mais je m'amuse comme une folle. Je parviens juste à lancer :

– Par d'autres voleurs, ceux d'un village voisin, par exemple.

– Tiens donc ! s'exclame, l'air ravi, la libraire.

À ce compte-là, on peut soupçonner tous ceux qui nous sont plus ou moins voisins, d'autant que la route est comme une longue artère qui assure la circulation entre diverses agglomérations, souvent ennemies à l'origine, mais l'automobile a changé tout ça. La chose prend de l'ampleur.

– Il ne faudrait pas ancrer tous nos soupçons, donc nos recherches, jusques (z) aux frontières… (celle-ci était correcte, mais déjà vieillie).

– Et jolie ! La plus urgente des précautions serait, il me semble, de ne jamais laisser d'argent dans la caisse le soir. Tout apporter avec soi.

– Ces voyous ne prendraient pas de temps à se douter que la recette se trouve dans vos poches ou dans votre serviette. Et là, vous seriez peut-être en danger.

– Écoutez, on n'aurait plus affaire à des voyous, mais à des bandits. Je me refuse à croire que notre ville en est là, dit le coiffeur. D'autre part, je ne vais pas risquer ma vie pour quelques dizaines de dollars, ou bien quelques bouteilles de shampooing, une paire de ciseaux ou une pile de serviettes.

L'agent ferma son carnet et vissa le capuchon de son stylo :

– Je pense que vous n'aurez plus autant besoin de prendre ces multiples précautions. Il y a un moment, nous avons commencé à surveiller de nouveaux arrivants qui se sont installés au nord-ouest de la ville. Il semble qu'ils n'aient rien trouvé de mieux pour compléter leur mobilier que de piller quelques maisons anciennes habitées par de vieilles personnes qui, dans leur simplicité, ne pensent même pas à se servir de leurs serrures, ni de jour ni de nuit. Nous avons interrogé la plupart de ces nouveaux venus. L'un d'eux a été surpris à offrir en vente à un marchand d'objets d'occasion un vase de valeur authentifié d'origine. De là nos soupçons sur toute cette tribu. Il a répondu à nos questions qu'il avait vécu quelques mois justement dans cette rue-ci.

– Celle où on ne verrouille ni de jour ni de nuit ?

– Justement. Un de mes collègues parle à ce propos du « syndrome des populations naïves et paisibles » qui attirent l'attention des maraudeurs. D'autre part, si l'on agrémentait ses portes, ses fenêtres et le moindre soupirail de traquenards dangereux comme des pièges à loup, ces filous concluraient que vous avez des trésors inestimables mis à l'abri. Le juste milieu ! Ne pas dépenser pour ces précautions plus que la valeur de ce que vous voulez protéger.

– Et vous, l'apothicaire, votre idée là-dessus.

– Vous savez comme moi qu'il n'y a rien de plus exposé au pillage que l'officine du pharmacien. Tant de choses sont là, à portée de main, et de toute espèce de main, celles du mal portant, bien sûr, celles de la jeune femme un peu désargentée, du gamin gourmand – nous tenons les bonbons presque autant que les comprimés. Il y a aussi les cleptomanes qui chipent tout ce qui est accessible. Tout le monde se souvient de madame M* qui payait sans rechigner quand on lui faisait vider ses poches et son sac.

Elle avait toujours de quoi payer comptant. Au demeurant, c'était une bonne cliente.

Notre hôte demande si quelqu'un veut du café. L'agent en prendrait bien une petite tasse, mais il ne veut pas qu'on en prépare seulement pour lui. On propose un instantané. Du coup, tout le monde en veut. On apporte le bocal et la bouilloire, des biscuits secs, des tasses, des petites assiettes, un *angel cake*. Et la réunion prend un autre tour.

– Chère amie, nous apprécions tous votre présence ici ce soir, mais nous n'oublions pas que vous avez des préoccupations bien différentes des nôtres. Nos commerces, qui sont notre vie, vous accommodent selon vos besoins seulement. Tout se sait d'un bout de notre rue du Marché à l'autre et nous avons tous été inquiétés par cette affaire de fausses coupures. Qu'on nous chaparde la marchandise ou qu'on nous la paie en monnaie de singe, c'est tout pareil ! Nous savons maintenant que, depuis quelques années, ces billets émergent d'une autre province de temps en temps. Cela n'arrive plus qu'à tous les deux ou trois ans. Nous avons des indices qui nous font croire que la source en est tarie, même si elle fut profuse après guerre.

– Vous en savez plus long que moi. Pour ma part, je suis encore dans l'ignorance complète. Tout ce que je sais, c'est qu'une personne inconnue est venue perdre une enveloppe dans mon quartier. La pluie avait détrempé ce papier fragile. Je n'ai eu qu'à soulever le rabat pour l'ouvrir. J'ai fait, par après, quelques démarches qui n'ont rien donné. Il nous faudrait savoir qui était cette « Tante Maria ». J'ai d'abord cru qu'elle était morte, mais il n'y en a aucune trace au presbytère ou au cimetière, ni dans les pages nécrologiques des journaux. J'ai même interrogé discrètement notre pharmacien qui fait signe que c'est vrai. On ne quitte pas cette terre sans qu'un médecin n'essaie de vous guérir par un remède d'ordonnance émise à votre nom.

Pendant que je parlais, un peu trop longuement, j'ai entendu le grincement causé par un mouvement discret, mais qui avait fait tourner toutes les têtes vers la porte. Je reconnais tout de suite la personne qui m'avait demandé si je cherchais quelque chose et à qui j'avais répondu que je voulais perdre quelques kilos en marchant tous les jours. J'ai fait un petit salut.

– Comment ! qu'elle me lance, c'est vous qui avez trouvé la lettre destinée à mon petit-cousin ? Tout le monde vous cherche. Pourtant vous habitez un peu loin d'ici, il me semble que c'est ce que vous m'avez dit quand nous nous sommes parlé.

– Oui, mais tout à fait à l'autre bout. La rue du Marché est longue. Quand le vent s'y engouffre il transporte beaucoup de choses. L'élément de toute une vie, parfois, une feuille... Tout ce que cette enveloppe contenait est à votre disposition. Cependant je dois vous dire que la...

– Nous parlerons de cela demain si vous voulez. Donnez-moi votre numéro, je vous appellerai le matin et nous pourrons prendre rendez-vous.

Le mot « demain » avait eu l'effet d'un rappel à l'ordre. Il était tard. On avait conclu de témoigner les uns pour les autres, le cas échéant.

La voix qui m'aborde n'est pas déplaisante dans les circonstances :

– Vous êtes à pied. Je vous raccompagne, c'est le parcours de ma tournée. Prenez mon bras, il y a parfois quelques embûches.

– Est-ce intéressant, ces tournées de nuit ? Vous arrive-t-il des choses inaccoutumées, intrigantes ?

– Oui. Inquiétantes aussi. Souvent elles le sont parce que c'est la nuit et ne le seraient pas à la clarté du jour. Des hommes qui ont bu, qui sont un brin agressifs et veulent montrer qu'au besoin ils sauraient se défendre, ce qui, parfois, veut dire attaquer.

– Je me demande si nous avons toujours été ainsi sous tous les ciels du monde, incapables de dormir en paix à l'ombre du même arbre : Cet arbre est à moi, allez dormir ailleurs. – Je ne touche que son ombre, je ne l'apporterai pas en partant. – Vous ronflez en dormant. – Or ça, le ronflement, je ne peux le laisser derrière moi, mais je peux vous abandonner le silence. Nous aurons de la chance si ces deux-là ne se jettent l'un sur l'autre, et cætera ! D'autant, vous l'aurez constaté, qu'ils ne sont point de la même couleur. On se demande encore qui les a faits ainsi.

Mon accompagnateur s'amuse de cette petite fable et ne presse pas le pas. De temps en temps, il pose une question hors de propos.

– Vous êtes née près d'ici ?

– Oui, nous y serons dans deux minutes. C'est au coin de la rue Morel. Dans quelques jours ce sera mon anniversaire. J'aime bien la rue du Marché. À la moitié de sa longueur, il y a l'église. L'amitié m'y a invitée autrefois à cause de son acoustique favorable à l'orgue. Mais l'amitié ne se nourrit pas d'une telle denrée. De quoi se nourrit-elle ? Vous savez cela sûrement : elle se nourrit d'elle-même, de sa qualité, de sa sincérité et, heureusement, par moments, de cette sorte de souffle fugace qui remue de la nuque aux genoux et fait oublier qu'elle n'est pas l'amour. Ça, c'est de la spéciale !

Autre question inattendue :

– Est-ce qu'on vous fête habituellement à votre anniversaire ?

– Oui, mais j'aime bien que ce soit au jour où ça ne dérange personne. Le lendemain, la veille, le surlendemain, c'est toujours fête.

– J'aimerais bien être invité.

– J'y verrai. On se demande toujours qui j'y veux rencontrer.

– Pourvu que ce soit des gens que vous aimez !

Quelle réflexion bizarre et sur quel ton ! Il fallait l'entendre. Je lui ai demandé s'il aimait son travail de nuit, s'il le faisait depuis longtemps.

– Auparavant, je faisais du travail de bureau qui me tenait immobile et me fatiguait les yeux. Celui-ci me remet en forme et me permet de m'occuper d'autre chose que ce qui se passe sous mon nez. Un peu plus de mouvement d'une part et un peu plus de clair-obscur d'autre part. Quand je rentre, il est 2 heures du matin.

– Tenez, voilà ces arbres étranges dont nous avons déjà parlé. Regardez, ils n'ont pas une forme ordinaire et leurs feuilles sont déjà plus ou moins jaunies par l'automne. Voyez-vous, dans l'enveloppe qui contenait les billets de banque, il y avait une feuille de cet arbre, sans explication ni allusion. Elle était déjà du plus beau jaune d'or. Je veux l'apporter à mon joaillier pour qu'il m'en fasse la réplique sur épinglette.

Un jeune homme s'arrête. Il me reconnaît.

– Vous faites un reportage, madame ? Vous intéressez-vous à ce ginkgo qui a traversé plusieurs âges de la Terre ?

Il se présente. Il est botaniste.

– On ne saura jamais comment il a réussi cela, toutes ces catastrophes des périodes primaires, ces millénaires volcaniques, ces déluges, ces séismes, ces fractionnements de continents.

– Il a été là quand tout a basculé, le nord au sud…

– Et le sud au nord, forcément. Nos savants disent qu'il y a de cela 780 000 ans. Nous devrions fêter cet anniversaire aussi.

– Ne pas attendre, peut-être, que le nord et le sud retrouvent, par une nuit de clair de lune, silencieusement, leurs situations premières. Le ginkgo s'en trouvera mieux. En attendant, nous ferions peut-être bien d'en cueillir une feuille. Tenez, en voilà une parfaite.

Je l'ai remercié chaleureusement et il est parti. J'ai mis la feuille dans mon porte-cartes.

– J'en avais choisi une pour vous, pendant que vous parliez…

– Donnez-la-moi. Je les apporterai toutes à mon joaillier. Il choisira.

Comme il se trouve, le bijoutier a pris celle qui était dans l'enveloppe et que le sort avait le premier choisie. Le résultat est très bien. Le travail terminé, il me l'a rendue, protégée par deux plaques de verre.

Quant aux billets, la banque s'est chargée de les détruire, non sans les avoir photocopiés.

Je revois de temps en temps le jeune botaniste qui s'inquiète de l'exactitude du travail de joaillerie. Mais je vois plus souvent le bel agent de sécurité. Il s'appelle Hector, avec l'*h* aspiré, dit-il.

Samedi dernier, après une soirée un peu silencieuse.

– Je vais vous étonner et même vous agacer peut-être. Je suis un peu amoureux de vous.

– Un peu ?

Ce qui l'a fait rire. Quand on rit tout va bien.

– Un peu, pour commencer. Je voudrais voir le bonheur grandir, s'installer dans ma vie, s'y faire une place…

Inexpugnable !

Du coup, j'ai accroché ma feuille en or à sa boutonnière.

Québec, le 18 janvier 2008 à 11 heures.

Sacrée Pauline

Des gens bizarres, il y en a de plus en plus. Ma sœur prétend que cela vient de la télévision. Encore petiots, nous regardons vivre, parler, aimer, manger des masses d'individus dont la plupart sont de l'espèce farfelue. Ils font toutes ces choses d'une façon qu'on ne fait pas dans la vraie vie.

J'arrive chez ma cousine hier matin, grand décolleté, jupe ample et longuette. Où va-t-elle ? Nulle part qu'ici, mais la journée promet d'être caniculaire. Elle veut dire qu'elle sera chaude, ce serait trop simple, elle ne le dit pas. C'est moi qui profère comme une femme ordinaire : « Très chaude, oui. »

Sourire de pitié, pas méchant cependant. C'est une mimique que je lui connais bien. Elle m'aime beaucoup, je crois, mais elle voudrait, comme on dit, me mener par le bout du nez. Je devrais parler comme elle, agir comme elle l'entend, aimer ce qu'elle aime, livres, vêtements, musique. J'accepte tout cela volontiers par amour de l'amitié. Par contre, elle sourit les lèvres pincées pour tout autant. Je pense qu'elle veut « m'éduquer ».

– Tu as mis ta robe d'orpheline ?

– Mais oui… C'est ma petite robe noire. Tu sais, elle vient de chez Delacroix.

– Ce n'est pas ce qu'il a fait de mieux.

Je réponds par un sourire angélique, pas moins, et je me hâte de ramasser mes petites choses.

– Je t'aurais invitée avec plaisir mais ma table est complète.

– Je n'aurais pas pu. Je vais au restaurant du Grand Hôtel qui vient d'ouvrir. Tu n'y es pas encore allée ? C'est drôle, tu reçois beaucoup, mais tu sors peu.

Je ne lui laisse pas le temps de répondre à ces petits propos frivoles, je risquerais de rencontrer ses invités et, là, ce serait la tour de Babel.

– Tu vas là toute seule ?

– Non, Michel m'invite.

Elle a un léger sursaut. Michel, c'est la vedette de notre groupe. Dans mon quant-à-soi, je l'appelle « la brosse à reluire ». Il a tout, situation tant mondaine que travail, il est beau, grande maison, grosse voiture, etc. J'ai un petit remords. Allez, je ne la hais point. (Cette invitation reluisante n'a rien de vrai, c'est juste une petite vengeance.) J'ai de l'amitié pour elle, j'en ai tellement eu autrefois que j'en garde de beaux restes et, après tout, c'est la fille de la sœur de maman. Je passe la voir le plus souvent possible. Malheureusement, avec le temps et les petites choses ridicules, les pauses insupportables, les bobos, éternels sujets de la conversation, tout cela cache une certaine ignorance sous la frime. Vous me comprenez ? L'usure des sentiments. Bizarre ! Elle est née comme cela. Je n'ai presque pas connu son père. Mais j'aime croire qu'elle tient de lui ce fonds déraisonnable. Elle s'est fait une vie étrange par son entourage, un vocabulaire qu'on dirait constitué de chaque mot rare qu'elle entend, chaque terme inusité est adopté. Tout cela retient autour d'elle des femmes et surtout des hommes encore plus étranges qui viennent des quatre coins du monde et qui en portent les vêtements, des casaquins, des madras, des spencers ou bien des toges, des chlamydes, des carricks, des burnous, des cafetans et même des vitchouras ! (Il y a du mérite à trouver ce vêtement dans un magasin, déjà on le trouve bien rarement dans un dictionnaire, j'avoue que je suis assez contente de cette parenthèse). Après tout cela, l'habit fait le moine, pas moins.

En m'en allant, j'ai croisé un couple attaché par une petite chose qui m'a semblé faite de vannerie formant à un bout un anneau qui encerclait l'index de la femme. Le mari, je veux croire qu'il était au moins le mari, tenait l'autre bout fermement. Ce lien fragile la contraignait à marcher en retrait de deux pas. Ils traversaient la rue, moi aussi, chacun dans son sens, je me suis discrètement retournée pour les voir, je m'en doutais, sonner chez ma cousine. J'aperçus que la femme entrait en premier : il l'avait donc libérée de son attache. Par conscience du ridicule, je présume.

À peine cent pas plus loin, je rencontre Arthur qui marche d'un pas pressé. Il porte une bouteille de vin dans un joli sac à cordelette, orné en imprimé des notes de la gamme. Il va chez la cousine et s'étonne que je marche en sens contraire.

– Je ne suis pas invitée. J'en arrive et elle m'a seulement dit, en s'excusant, que sa table ne faisait que huit couverts.

– Et moi qui n'ai accepté qu'en espérant vous rencontrer.

C'est un garçon un peu timide. Aussi, j'aime bien jouer avec lui l'audace et l'agacerie. J'ai envie de lui souffler l'idée de poser un lapin à ma cousine. Mais l'idée, c'est à lui qu'elle vient.

– Il n'est pas tard, nous pourrions faire quelques pas.

Il faut toujours faire confiance au hasard, au sort, car si l'on rencontre parfois ceux qui suscitent le mauvais, certains n'ont dans leur sac que les bons.

– Écoutez, si on entrait là, me dit le bel Arthur en désignant un petit restaurant où, sur la porte, c'est écrit : « Apportez votre vin. » Nous pâmions de rire, comme disait Madame de Sévigné.

– On se croirait attendus !

Comme par magie, nous étions déjà assis à une petite table.

– Vous êtes attendu, Arthur, mais chez ma cousine.

– Que voulez-vous, quand la bouteille est débouchée, il faut la boire là où l'on est.

– Vous devriez téléphoner pour dire que vous avez eu un contretemps.

– Madame, à mon corps défendant je n'emploierais jamais ce vilain mot quand il s'agit de vous.

Ah mais ! que voilà des yeux tendres et une main fraîche qui tire la mienne vers sa bouche.

Ce petit restaurant est de plus en plus charmant. Quand la bouteille fut mi-entamée, le garçon nous a servi à manger en nous recommandant de prendre tout notre temps. Ce que nous fîmes. Bref, quand les derniers clients eurent quitté leur table, nous nous sommes levés tout en laissant avec le pourboire un bon verre en fond de bouteille, pour boire aussi, dit Arthur.

Chez la cousine le repas semblait terminé également. Une voiture portant un petit drapeau étranger sur le côté attendait devant sa porte ainsi que le chauffeur debout à côté. Il en viendrait d'autres. Mieux valait prendre une rue de traverse, « au risque de se perdre », dit Arthur sur un ton comiquement tragique. Nous marchions toujours et d'un bon pas.

– Savez-vous où nous sommes ?

– Dans ma rue ! Viendriez-vous faire un petit tour chez moi ? Je ne vous dirai pas que maman est là et puis ensuite : « Ah ! tiens, elle est sortie. » Non. Je vis seul. Je vous dirai simplement que je suis un gentleman, mais que je donnerais bien dix ans de ma vie pour être (dit sur un temps fort) un peu seul avec vous. Je vous vois toujours chez votre cousine qui, soit dit sans trop de méchanceté, est un petit clystère.

Il avait bien raison, mais le mot n'est pas trop poli. En rentrant chez moi, le téléphone qui sonnait obstinément tout le temps que je mis à enlever gants, chapeau, manteau – dame ! l'hiver arrive – ne me laissa aucun doute sur l'origine de cet appel. Prudence ! les propos simples d'apparence cachent souvent des pièges.

J'ai tout su : l'attaché culturel de ce lointain pays, tu sais ? (– Oui, oui, celui qui n'est pas blond), il lui fait la cour et il se pourrait que ce soit « sérieux ». La femme de l'ambassadeur (elle ne les désigne pas autrement que par leur titre jamais suivi du nom de leur pays, au reste pas plus grand qu'un village de montagne) l'invite à dîner un soir de la semaine prochaine, elle veut lui présenter un jeune veuf qui n'a que trois enfants. Bref, elle est courtisée de partout.

– Si cela continue, tu seras bientôt bigame.

– Tu sais, j'essaie de plaire. Je ne suis pas jolie, mais je suis bien faite.

Tiens donc ! J'ai envie d'ajouter cela à mon répertoire.

– Ton ami Arthur n'est pas venu et sans s'excuser. Tu ne l'as pas vu ?

– Ce n'est pas chez moi qu'il était invité.

Je n'ai pas horreur du mensonge – chose utile – mais si je puis le contourner, j'ai pour cela tout un thésaurus. D'autre part, je ne demande pas pourquoi Pauline a dit « ton ami ». Je suis presque sûre que certains des païens qu'elle a reçus nous ont aperçus après ou avant.

Eh bien oui ! Il était neuf heures du matin. Sonnerie…

– C'est toi qui as accaparé Arthur ? Pauvre garçon, lui faire passer son temps dans un boui-boui, alors qu'il aurait rencontré, ici, non seulement des amis, mais des gens nouveaux, comme il ne peut en voir nulle part ailleurs.

Ah ! connaître des gens réputés, des sommités, et riches, bien sûr, c'est la vraie vie, le bonheur. Il y en a peu dans notre petite ville, mais comme elle a vu naître un peintre célèbre qui lui a légué plusieurs de ses tableaux qu'on peut voir dans une petite galerie, il y passe des gens connus qu'on retrouve parfois attablés chez ma cousine. Comment lui avouer que je préfère le jeune professeur qui me souriait déjà, de loin, au cours du soir, il y a dix ans, et qui passe me voir, souvent, le dimanche pour me lire ce qu'il a écrit.

Le lendemain, dès potron-minet, Pauline sonne à ma porte, une enveloppe d'un joli bleu au bout des doigts.

– Sais-tu qui arrive dans ma vie ? Maurice ! J'en suis toute stupéfaite.

– Écoute, sois prudente. Il est venu te voir ?

– Il m'a écrit. Je te la lis ?

– Oh ! J'entends déjà cela : « Je n'ai pas pu vous oublier. Je pense à vous avec regret. Je passe ma vie à vous écrire sans me décider à poster mes lettres et je ne sais quel sort aura celle-ci. » Bon !

– C'est à peu près ça.

– Souviens-toi. Comment les choses se sont passées. À mon sens, il a eu le comportement d'un fou.

– Ah oui ? Je ne me souviens pas. Tu es si sévère. Je me rappelle que cela s'était mal terminé, mais…

– Tu n'as pas oublié qu'il vivait à l'époque dans une petite île presque déserte qu'on ne pouvait atteindre qu'en embarcation et quitter de même. Qu'il t'a annoncé un soir, très tard, tout en jouant du piano, qu'il n'avait aucun désir de t'épouser et ce qu'il t'en avait dit c'était pour s'amuser et rire un peu de ta crédulité, que rien ne lui plaisait comme de faire marcher une femme presque au pied des autels et d'éclater de rire.

– Tu sais bien que je ne me serais pas laissé parler comme cela.

– Et qu'est-ce qu'on peut faire pour empêcher cela ?

– Quitter immédiatement les lieux, tiens donc !

– À la nage ? Cet insane avait bien imaginé son coup pour que tu sois forcée de le supporter jusqu'au lendemain. Dis-moi un peu, si tu le veux, où as-tu dormi ?

– Rien d'inoubliable comme horreur.

– J'espère bien. S'il t'avait forcée à partager sa couche infâme – infâme, c'est peu dire, en tout cas, c'est bien trouvé –, de toute façon tu le saurais encore.

– Sur la chaise longue probablement.

– Que tu as quittée à l'aube. Il avait fermé les portes à clef et tu as dû sauter par une fenêtre avec ton petit sac de nuit serré sur ton cœur. Souviens-toi !

– Oui, tu te le rappelles mieux que moi... J'ai couru jusqu'à l'eau et je me suis étendue dans l'embarcation. Ce fut l'homme à tout faire qui m'a réveillée et qui m'a demandé si je voulais traverser si tôt. Je lui ai raconté que je devais assister à des funérailles et que *monsieur* ne pouvait pas me reconduire. La rivière traversée, j'ai aussi attrapé un car matinal et j'étais chez moi au soleil levant, ne répondant à aucune sonnerie. Sourde et muette !

– Il y a de cela cinq ou six ans, et c'est maintenant qu'il t'écrit ? Est-ce que tu n'as pas trop raconté ici et là, ces temps derniers, que tu as hérité de ton parrain ?

– Ne crains rien, c'est ça qui m'est apparu tout de suite. La meilleure réponse, c'est de le laisser attendre le courrier tous les matins.

– Cette leçon l'étonnera sans doute beaucoup.

Aujourd'hui, je suis allée au déjeuner mensuel de l'Alliance des professeurs de français auquel je suis toujours invitée par gentillesse. La conférence fut donné par M., celui que nous nommons Lancelot du Lac pour la raison qu'il a une minuscule maison sur le bord d'un petit étang. Il parle avec humour des différences de langage selon les différentes régions de la province, soit ici ou en France ou même en Belgique. À la période des questions un quidam m'a demandé de quelle façon je prononçais « parfum, chacun, brun, emprunt, etc. ». Il croyait me tendre le piège de l'accent parisien. Il en avait fait une liste sur un bout de papier. J'ai attrapé un bout de papier où j'ai écrit : parage, garage, outrage, ravage, etc., que je lui ai tendu. Et vous ? Voulez-vous lire mon papier ?

Bien sûr (je le connais), il a posé des circonflexes sur les dernier â, (il vient de la métropole), et il prononce parâge, outrâge. En peu de temps, chacun brandissait son messâge. Un de ceux de la métropole, tout échauffé, a même crié « chiures de mouche », à quoi j'ai répondu que j'aurais été étonnée qu'on n'en vienne pas à des propos concernant les déjections, quelles qu'elles soient. À la sortie, j'ai rencontré Arthur, que je n'avais pas encore aperçu. Il m'a pris dans ses bras en murmurant « Toujours la même ». Puis : « Je vous raccompagne ? »

Chemin faisant, il m'a appris que ma cousine lui avait amèrement reproché de n'avoir pas assisté à son déjeuner, sur quoi il a répondu que je n'y avais pas assisté non plus et il lui a demandé ce qu'elle avait offert. Arthur est pourtant un garçon poli mais la façon d'insister de Pauline suscite l'impertinence. Quand elle lui a répondu là-dessus, il lui a dit : « Vous faites toujours cela si bien », avec un temps fort sur toujours. Il n'a eu droit qu'à un noir regard. Et puis, Arthur a si bien développé son histoire qu'il s'est trouvé à ma porte.

– Bon ! Nous voilà chez vous. Bonne fin d'après-midi. Je vous laisse.

Je suis restée un moment à le regarder s'éloigner, mais il s'est retourné et je lui ai envoyé un baiser. Il est revenu en courant.

– Pourquoi ne m'invitez-vous jamais à entrer quand je vous raccompagne ?

– Je ne sais pas, j'y réfléchirai et je vous dirai cela une prochaine fois.

– C'est cela. Vous prendrez quelques notes que nous discuterons point par point… Chez moi.

En passant ma porte, j'ai été étonnée de renifler une petite larme. La perspective de passer la soirée seule. Je me demande s'il y a intérêt à réfléchir.

Pour en revenir à ma cousine (car c'est elle, finalement, le sujet de ma réflexion), elle et ses bizarreries dont elle n'est peut-être pas tout à fait responsable, c'est un héritage de famille (et c'en est un qu'on ne peut guère refuser à l'ouverture du testament). Personne ne s'y comportait selon les usages de ce monde, ni de cet entourage. On s'y marie selon le rite d'une secte peu connue, en vêtements rouges ou jaunes, on renie les chaleureux dîners du temps des fêtes, au cours d'un janvier glacial, par des « goûters », biscuits secs, glaces, vins mousseux bien frappés. Si on ne le fait pas, c'est qu'on est allé vivre l'hiver en Norvège. Rien d'étonnant à ce qu'on les retrouve, en mai ou juin, à New Delhi, pour y fêter la Saint-Jean. Un mariage assorti pour cette famille, c'est celui que l'on contracte avec une personne d'une ethnie fortement étrangère. Cependant, avant de goûter à ces mœurs-là, ma cousine en a vu bien d'autres. Il y a eu Maurice, mais aussi quelques Ibériques dont les ancêtres avaient semé leur descendance un peu partout dans le Nouveau Monde, après avoir peuplé quelques régions de l'Ancien. Elle leur parlait en castillan, ce qu'ils ne comprenaient guère. Ils répondaient en mexicain, en colombien (?) et parfois même, égarés par quelques voyelles que ne comportent ni le français ni l'anglais, en italien que Pauline entendait aussi. De toute façon, elle n'était pas faite pour être comprise, mais pour être traduite.

De ces hidalgos, je lui en ai connu trois, dont je ne sais plus lequel était le plus bizarre. Le premier était aviateur, c'est du moins ce qu'il disait quand ils se voyaient. Il racontait qu'il était très pris par des missions imprévues, mais il téléphonait pour s'excuser :

– Je ne pourrai aller vous voir, mais je m'arrangerai pour passer au-dessus de votre maison et je ferai un signal avec la lumière du bout des ailes.

La pauvre passait des heures et presque des nuits à guetter le signal. C'était, au-dessus de la maison, la route des avions de nuit et il y en avait quand même quelques-uns qui correspondaient à son attente. Elle pouvait aller dormir, le cœur battant.

Il fallut bien qu'elle apprît, un jour fatal, que les avions, d'habitude, ont une petite lumière au bout des ailes. Du coup, elle lui écrivit une lettre outragée dont elle profita pour réclamer les quelques centaines de dollars qu'elle lui avait sans prudence prêtés « pour s'acheter un uniforme ». Je ne crois pas qu'elle ait eu satisfaction, mais ce n'était là que le début d'une longue suite d'aventureuses démarches. Passons !

Nous n'irons pas bien loin…

Un jour qu'elle a vu son généraliste, elle apprend qu'elle fait une légère insuffisance. De quelle sorte ? Rénale ? Hépatique ? Coronarienne ? Elle n'a pas compris ou elle n'a pas entendu. Elle n'a pas fait répéter son médecin, « quelle importance cela peut-il avoir ? » Là, je suis soufflée. Je suggère sur un ton sarcastique « insuffisance auditrice », ce qui me vaut quelques injures en français vulgaire, puis elle passe au castillan.

J'ai attendu quelques jours pour retourner la voir… Le castillan, moi ? On sonne à la porte. C'est le facteur. En réalité, c'est une femme… factrice ? facteure ? qui présente une formule à signer. Elle tient une lettre recommandée qu'elle ne donne qu'après avoir bien regardé la signature. La lettre, un peu lourde, un peu craquante (merci madame, bonne tournée). Nous cherchons un coupe-papier et devons nous contenter d'un coutelas qui pourrait être là pour régler son compte à un malandrin aux mauvaises intentions. La lettre vient de l'Amérique du Sud, de Punta del Este, dit Pauline en retournant l'enveloppe : « Tu ne connais pas, c'est un endroit très chic. J'y ai passé des vacances de Noël splendides. » Ce disant, elle s'empare du coutelas et tranche le rabat de l'enveloppe. Malheur ! la lettre est maintenant en deux morceaux, l'arme tranchante a traversé le papier plié juste sur une ligne d'écriture. Après quoi nous échangeons quelques propos malsonnants. Les siens sonnent plus mal, ce qu'on peut se permettre dans une langue étrangère. Toujours le castillan !

Je ramasse mon sac, mon manteau.

– Mais attends, que je te lise.

Surtout pas. Je pars en courant. En arrivant dans la rue, je l'entends qui m'appelle de son balcon.

– Reviens. C'est Carlos. Il est mort.

C'est bien d'elle, ça. Un de ses amis est mort et il lui écrit. Ces choses-là ne m'arrivent jamais. Je remonte.

Elle est en larmes. Malgré tout, elle a trouvé le moyen de réunir les deux morceaux de la lettre en les « scotchant » par l'envers. J'ai dû faire une mine réprobatrice car elle a ajouté : « Pour l'adhésif, " scotch " c'est dans le dictionnaire. On peut même faire l'économie des guillemets. »

La lettre est de Julio, le frère de Carlos. Après les préliminaires, c'est la première ligne du deuxième paragraphe qui nous a arrêtées.

« Pour que je vous écrive, il faut bien que j'aie eu un papier important à vous transmettre. Depuis son retour inopiné, Carlos n'a pas été bien, dépression insidieuse, ne parlant que pour déplorer l'obligation où vous l'aviez mis de revenir ici où il n'y a rien pour lui, ni travail ni vie sociale, tous ses amis disparus. J'ai retrouvé le billet ci-inclus sous le livre commencé le jour même. Ne vous étonnez pas si je vous dis que ce billet, je l'ai lu. Au reste, ce n'est qu'à la dernière ligne que j'ai su qu'il vous était adressé par-dessus ces deux Amériques « pour quoi je n'étais pas fait ». Là où il avait laissé un signet, il a écrit en bas de la page : « C'est d'un ennui <u>mortel.</u> » Les deux traits ont presque complètement déchiré le papier. Le matin même, nous étions sortis et il avait acheté une bouteille de cognac. Quand je suis allé lui dire bonsoir, elle n'était pas débouchée et j'ai refusé qu'elle le soit pour moi. Je crains l'alcool. Il l'a probablement débouchée dès mon départ, on l'a trouvée presque vide et à côté un flacon, vide celui-là, dont l'étiquette indiquait qu'il contenait cinquante comprimés. Sur le cognac, à l'encre rouge, entre les lignes, « COURAGE ».

J'essaie de la consoler, mais c'est difficile car le reste de la lettre n'est qu'accusations plus ou moins déguisées et renseignements généraux, la date et l'heure des funérailles. Elle sèche ses larmes pour s'écrier : « Bien sûr, c'est la porte à côté ! Julio considère que, de l'autre bout du monde, c'est mon devoir d'accourir pour assister à la cérémonie. Je m'aperçois justement que c'est aujourd'hui qu'elle a lieu. Il y a peut-être ma place vide sur le premier rang des banquettes de l'église. Tous en noir, comme nous, ici, il y a trente ans. »

Encore une fois, je prends mon sac, mon manteau, mais je les laisse tomber en entendant une curieuse détonation qui vient de la cuisine. J'y cours, le cœur dans la gorge. Pauline est là occupée à remplir deux verres de mousseux.

– Ce n'est pas du champagne, mais c'est aussi très bon. Toi qui roules sur l'or, tu en prendras bien un verre ?

J'ignore sur quoi je roule. Pour le moment, j'essaie d'apaiser par de grandes lampées froides les battements de mon cœur. De quoi ai-je eu peur ? Mais oui. Ridicule !

Pauline en a vu bien d'autres, et sait-on pourquoi, la plupart du temps des excentriques, je dirais même des insanes. Je me demande parfois si son aspect fragile n'attire pas les sadiques qui voient là une proie sans défense à inscrire à leur tableau de chasse.

Nous en sommes à mi-bouteille quand l'interphone annonce un visiteur. J'ai le temps de faire celle qui était sur le point de partir, car je crains les visiteurs de Pauline. J'enfile mon manteau et même un gant.

– C'est moi qui vous fais fuir, madame ?

Maintenant que je vois le visiteur, j'ai envie de dire oui. Vêtu de noir du chapeau aux chaussettes, son manteau a un faux air de soutane. Tout ce qu'il dit sonne comme un verset. La cousine a prestement fait disparaître les verres et la bouteille, après quoi elle adopte une mine bigote, les mains serrées sur la jupe tirée. Elle dit des choses aimables à ce personnage et je comprends qu'il n'est pas un passant mais un habitué qui s'incrustera jusqu'à l'heure de se mettre à table. Il doit appartenir aux « Fils de la terre » (ou du Ciel, qui sait ?). La ville est peuplée de ces garçons pâlots à l'épaule déjetée par des havresacs bourrés de publications venues on ne sait d'où, on m'a dit de Hollande et que cela se décèle dans les contresens de la traduction… Ah ! *traditore !*

Pendant que je cherche mes petites affaires, mon œil est attiré par un livre sur l'étagère, sa couleur, son format inhabituel. Ah ! j'avais bien cru ne jamais le récupérer. J'avance la main tout naturelle-ment. « Tu l'as terminé ? J'en ai justement besoin pour une citation. » Cela a été moins difficile que pour reprendre le collier de perles dont j'avais hérité de notre tante. Maintenant, il est dans mon coffre à la banque… Peut-être pas de fait, mais au moins en paroles. Quand il s'agira d'un livre, il sera à la reliure et, une fois reliés, je ne les prête plus. Au reste, la cousine a plus de colliers et plus de livres que moi.

Je dis au revoir de loin, juste avant de passer la porte, et je me retrouve à l'extérieur comme si j'étais poursuivie. Tous ces gens bizarres, je me demande de quoi il ont été faits… Je suis d'une vieille famille bien assise, tranquille selon les apparences, nombreuse aussi il faut le dire, de six à dix, selon les échelons des générations. Comme dans toutes les familles, il se faisait plus d'enfants en 1850 qu'en 1960. Et puis, on se trouve soudain confrontés chez ces bizarres à des gourous, des sorciers et des sourciers, des nécromants, des phrénologues qui veulent vous tâter le crâne, des chiromanciens qui veulent vous lire dans la main, sans compter que tous ces mages tirent de leur poche un jeu de tarot pour vous faire les cartes. C'était là le lot ordinaire de leurs visiteurs. J'en ai rencontré qui, parce que je laissais voir mon scepticisme, me prédirent tous les malheurs, allant jusqu'à me dire, un jour en me tirant par la manche au moment de mon départ : « Soyez bien prudente, et puis tenez, téléphonez-moi en arrivant chez vous, car je suis inquiet. » Perfide simagrée. Mais oui, mon bonhomme, ma perte est si fortement inscrite sur la carte que vous m'avez montrée, que je risque la panique qui m'ira jeter sous les grosses roues de l'autobus *Deschamps-Loranger* qui passe à mon coin de rue sans jamais ralentir. J'aurai oublié la prudence. Si près de chez moi je me serai trouvée déjà à l'abri. Tous les accidents mortels arrivent de cette façon. Quant à ce voyant, plus qu'un chiromancien, le voilà jeteur de sort pour ainsi dire. Et il insiste : « Je ne veux pas vous effrayer, mais je ne saurais trop vous inciter à la prudence, j'ai une sorte de pressentiment. »

Comme il surprend une sorte de lueur moqueuse dans le regard que j'échange avec Pauline, il en remet. Il connaît l'histoire d'au moins vingt malheureuses qui ont ri de semblables avertissements du sort et il entreprend d'en raconter les plus probantes.

– Tenez, je pense à une charmante fille du joli nom de Séraphine qui a été happée par une voiture…

– Mais oui, c'était une compagne de travail. Elle nous avait révélé que son sort était non seulement « dans sa main écrit », citation de *Carmen,* opéra de Bizet, mais dans les cartes aussi. Elle est morte, il est

vrai. Vous savez de quelle marque était la voiture ?
Une marque rare.

– Ça, je ne l'ai pas su.

– Pneumonie, monsieur. Elle n'était pas vaccinée,
hélas !

– Il s'agit peut-être de quelqu'un d'autre… Vous
vous moquez de moi.

– Bien sûr ! Des Séraphine, il en pleut et le
pneumocoque est toujours là.

Imperceptiblement j'avais gagné la porte accom-
pagnée du regard offensé de cette espèce de curé.

– Au revoir, monsieur le Mage.

– À bientôt, nous nous reverrons souvent.

Pour un peu, je serais revenue sur mes pas, juste
pour dire « non, non, non, pas souvent ».

Je trouve un vieux carnet de notes à côté de mon
diary, comme dit Pauline qui, pour certains mots,
préfère l'anglais. Mes tiroirs recèlent toujours quelque
surprise. Ce carnet est en fort mauvais état. Je suis un
peu étonnée d'y trouver des adresses de personnes
qui ne font plus partie des mes relations, parce que
nous avons rompu, parce qu'elles vivent maintenant
vraiment trop loin et que nous nous sommes lassés
d'écrire ou parce qu'elles sont mortes, cela arrive.

Au haut d'une page je vois : Amis de Pauline
– adresses – téléphones – à qui écrire ou téléphoner
en cas de malheur. Je m'avise que pas un seul
nom ne se retrouve sur ce qui pourrait être ma liste et
que je ne suis intime avec aucun. Il y a bien Arthur,
mais il ne la voit que parce qu'elle est ma cousine.
Cette liste n'est pas bien longue. Si ma mémoire
est juste, elle me l'avait donnée avant cette longue
absence voyageuse qu'elle a faite et qu'elle appelle
son tour du monde inconnu. Pauvre chère Pauline,
elle était partie enthousiaste, assurée de ne trouver
que du bonheur, du plaisir, des amis et toutes sortes
de choses faites pour son enchantement. De cette
façon, on ne peut revenir qu'avec toute une série de
déceptions. Elle était partie avec l'idée qu'un beau
voyage est fait d'inconnu. Rien de ces itinéraires
rebattus, l'Angleterre, la Belgique, la France, l'Italie.
Déjà vus, déjà vus. Vouloir retrouver à sa descente
d'avion à peu de choses près ce qu'on a laissé en
y montant, c'est souvent ce que les Américains du
Nord veulent. Ce qu'ils trouvent dans leur assiette
les rebute, et même les pays déjà vus le leur offrent
au lieu de ce qu'ils connaissent. « Nous avons
parcouru toute la France, nous avons mangé partout
et, vous n'allez pas le croire, nulle part nous a-t-on

servi du *coleslaw**. » Mon amie Wessie, pétrie de culture française, de charme et d'esprit, intervient pour dire qu'elle pouvait s'en passer, qu'elle était plutôt frugale, sur un ton comique qui laissait un fort doute sur cette frugalité.

Où en étais-je ? Ah ! le carnet d'adresses. Curieusement, je n'y trouve ni le nom ni l'adresse du mage en question, ni quoi que ce soit sur l'ambassadeur. En revanche, toute une kyrielle de médecins connus et même célèbres. Toutes les spécialités possibles, les yeux, le cœur, le système digestif, les pieds, les intestins, la colonne vertébrale, que sais-je ? Peut-être gardait-elle cette liste « au cas où ». Cela lui ressemblerait assez. Pour ce qui est de l'ambassadeur, c'était un vieux monsieur bientôt à la retraite, qu'elle avait rencontré dans l'antichambre d'une tireuse de cartes. Comme l'attente était longue, ils se mirent à échanger des confidences sur l'objet de leur visite à madame Rosalba (le sort étant souvent contrariant, cette rose blanche était noire comme un pruneau sec). Lui se tourmentait sur les modalités de la retraite approchante ; elle s'interrogeait sur la confiance qu'elle pouvait donner à son mage, animiste ou je ne sais quoi. Le temps

---

* Salade de chou cru assaisonnée de crème, de vinaigre et de sucre, servie en à-côté.

passait, le silence revenait, puis arrivèrent à leurs oreilles des bruits de robinetterie qui les mirent debout, sur le chemin de la sortie. Il paraît que le vieux monsieur décent et réservé émit pourtant cette réflexion : « Je pense que le beau jeune homme ne paiera pas sa consultation. »

Ah, ah ! mauvaise langue ! Je n'ai jamais su ce qu'ils firent du reste de l'après-midi. Quand je les vis, Pauline et l'ambassadeur, arriver chez moi peu après six heures, ils étaient d'une humeur charmante. Peut-être sont-ils allés prendre le thé à la petite boîte, non loin. En fait de thé, on y boit surtout du café noir « comme le démon » avec des gâteaux fameux. Au reste, je n'ai appris les détails de cette rencontre (les détails sont toujours ce qu'il y a de plus important) avec l'ambassadeur que plus tard, quand tous les petits et les grands mystères de la vie de cette femme secrète seront compris. (Un mystère demeure toujours une chose que l'on ne peut comprendre, mais qu'il faut croire.) Elle était encore, à ce moment, en pleine période « mage » et tenait avec lui des propos fumeux destinés, quand j'étais là, à m'éblouir, allusions jamais expliquées que, poliment, je feignais de comprendre.

– Il est lassant ton oracle, protestais-je de temps à autre.

Lassant, cela se voyait bien et s'entendait surtout. Aussi essayais-je de la voir à des heures matinales où seuls les intimes peuvent faire visite. Un matin, à peine étais-je assise qu'on sonne à la porte : deux longs coups et un court.

– Ah non ! c'est ton fakir, encore !

– Ça te dérange ?

– Mais oui, c'est toi que je viens voir et c'est lui que je vois. Il pérore et j'entends bien qu'il dit des choses qui ne concernent que vous deux et vos petits projets. Si je te parle, c'est lui qui répond.

Moi aussi, j'ai des propos mystérieux en réserve. Ah mais ! J'en ai même de tout frais. Pourquoi m'a-t-on posé toutes ces questions sur ce personnage, si je savais le lieu de sa naissance, ses moyens d'existence, les gens qu'il fréquente, l'année de son arrivée ici, si on lui connaît de la famille ici ou là. Il est passé quelques fois des gens bizarres qui viennent du plus loin qu'il est possible et, naturellement, chacun se demande ce que ce « mage » fait auprès de Pauline en vertu de l'apophtegme « dis-moi qui tu fréquentes… »

Bref, pour éclairer tous ces propos obscurs, j'ai invité, comme à l'improviste – en faisant mes courses, j'ai trouvé du boudin blanc truffé, tu viens déjeuner avec moi ? –, Pauline seule sans mage ni affidés. Elle est gourmande et se plaint de ne pas trouver ce qu'elle appelle « des raretés » dans notre quartier. À peine assise à table, j'ai dévoilé mon jeu :

– Que sais-tu au juste de cet homme qui est maintenant toujours rendu chez toi ? Est-ce qu'il t'a dit qui il est ? Est-il tombé du ciel qu'il ne parle pas de sa vie ailleurs ?

– Je ne pose jamais de ces questions. Chacun a droit à son origine, à son passé, à ses secrets, à sa petite vie.

– Tu ne poses pas de question, mais tu fais tout pour exciter la curiosité, tu passes tout ton temps avec cet individu en fausse soutane et si ce n'est avec lui que tu bavardes au téléphone, c'est avec cet ambassadeur d'un pays perdu au fond des Andes ou des Pyrénées et dont on se demande s'il n'est pas de mèche avec l'autre pour quelque manigance. Est-ce que tu n'aurais pas l'idée d'épouser ce vieux cacochyme ?

Elle me répond qu'elle ne se mariera jamais si ce n'est avec un noble. Chère Pauline ! Je me tords de rire. De nos jours ce sont plutôt les millionnaires qui font rêver, et qui ? Eh bien ! les nobles justement.

Elle me dit qu'à propos d'argent et de choses coûteuses, elle a l'intention d'aller faire un long voyage au Mexique, puis de filer à travers l'Amérique centrale et puis celle du Sud. J'emploie son vocabulaire qui me semble inaccoutumé. Lors de son dernier voyage dans ces pays aux administrations incertaines, elle eut quelques difficultés. Son passeport fut considéré avec méfiance. On l'y voyait blonde de chevelure, mais devant le guichet, le préposé voyait une brune. Il en concluait – ou feignait de conclure – qu'elle avait des raisons suspectes de se « déguiser ». Pauline s'était mise à rire.

– On m'a dit que les blondes ont trop de succès.

– « Taisez-vous donc », lui avait soufflé le compatriote qui faisait la queue derrière elle.

Tout cela s'était terminé dans un bureau où l'on avait pris ses empreintes digitales, téléphoné à sa banque, son ambassade, etc. Les résultats semblèrent de ceux qui font promettre le bakchich, et le gros. Comme le passeport ne revenait pas, toujours dormant dans la pile des fructueux, c'est encore le compatriote qui lui souffla : « Venez avec moi. » Tout s'était passé très vite. Ce bon samaritain avait dit quelques mots en inclinant la tête si peu que ce soit et, pendant que le préposé fouillait dans la pile de tous ces carnets aux couleurs et aux formats divers : « Refilez-lui un assez gros billet si vous le pouvez, pour vous et pour moi, s'il vous plaît. »

Le billet plié tout petit passa du creux d'une main à l'autre. Ni vus ni connus et les deux passeports refirent surface.

– Merci, Madame, dit le dévoué compatriote qui disparut à l'instant parmi les voyageurs en attente du règlement de leur sort.

Sans s'en rendre compte, ces souvenirs désagréables lui firent faire « tut, tut », comme les mamans font quand leurs petits entreprennent une activité interdite : les doigts dans le nez ou qu'ils répètent un gros mot dit par un adulte, leur père probablement.

Mais il y avait bien cinq ans depuis ces incidents. Maintenant, elle n'oubliait jamais de correspondre en tout à l'image que donnait d'elle le petit rectangle où paraissait son visage sérieux. (Le photographe : C'est pour un passeport ? Ne souriez pas, madame.)

Elle se regarde en murmurant : « C'est bien moi, ça ? » Et elle remet le précieux livret dans le tiroir de gauche, comme d'habitude.

Elle fit bien de tout réviser car ce voyage qui semblait un peu lointain devint subitement imminent. C'est pourquoi il nous arrivait bien plus souvent de nous réunir dans la soirée ou l'après-midi. Chacun faisait état de ses expériences diverses.

J'écoutais, non sans jalousie, ces petits propos d'occasion qui parfois étaient lourds de prudence ou de son contraire. Pauline aime le risque et l'imprévu. Les interrogations du mage, de plus en plus précises à la fin, me tirèrent l'oreille et à Pauline aussi.

– Tout cela n'intéresse que moi, je ne veux pas vous ennuyer, dis-je.

– On n'en sait jamais trop, chère amie, ne passez pas outre à une information qui s'offre. Par exemple, quand vous nous avez raconté l'histoire du bakchich, j'ai eu un peu froid dans le dos au souvenir de toutes les fois où j'ai voyagé sans trop de billets, confiant dans la commodité des *travelers*. Il reste que dépenser une grosse somme au début d'un voyage, « il faut le faire », comme on dit fort à propos.

Sur quoi Pauline affirma qu'en partant pour visiter plusieurs pays, elle prévoit un « compte-voyage » spécial à sa banque. Très pratique maintenant que l'argent voyage dans l'azur, aux ordres d'un bouton-poussoir. Votre portefeuille est vide, vous passez devant le guichet d'une banque, vous avez votre carte-crédit dans la poche, vous les mariez, carte et guichet, et ils vous récompensent par une portée de rejetons sous forme de billets de banque que les gamins des rues se haussent sur le bout des pieds pour, au moins, les apercevoir.

– Vous n'avez jamais eu la tentation d'en donner un au gamin le plus déguenillé ?

– Pour que ses compagnons, au tournant de la rue, l'en dépouillent en le battant à mort ?

– Si petits ?

Ma question est tombée comme un grosse pierre venant du ciel. Tout ce qu'elle suggère ! On imagine celui qui aura attrapé le billet volant de main en main, rentrant chez lui fier comme Artaban, avec sa moisson de la journée sans qu'on lui demande d'où vient cette manne. Le héros du jour ! Il aura double portion au dîner.

La conversation s'oriente vers l'immoralité précoce qui fleurit partout. On se dit que depuis toujours le bien convoité passe de la main pleine à la main encore vide mais habile à la tire. Phylias, c'est le mage, prétend que c'est un phénomène moderne. Quand j'avance que le pithécanthrope tuait son frère pour lui arracher une noix de coco qui lui faisait envie, Phylias s'exclame : « Toujours vos idées. À vous entendre on croirait que votre aïeul paternel descendait de son arbre pour courir après une petite femelle qui ne lui appartenait pas et dont les rondeurs callipyges lui faisaient oublier ce détail. »

– L'ère de la civilisation était encore lointaine. Je crains qu'elle ne soit anéantie avant même d'être connue partout.

– A-t-on des nouvelles fraîches des bonobos ?

J'ai beaucoup de travail ces temps-ci. J'ai accepté un rôle long et difficile dans la dernière pièce de mon ami B* et un autre très comique pour la télévision. Un bon comédien doit pouvoir jouer cela sans rire. Je suis sûrement une très mauvaise comédienne. Je ris à me tordre et le pire est que je m'amuse follement sans remords. Si bien que B* décide de couper une réplique dont je ne sortais pas, mais le souvenir m'en revient quand j'attaque la remplaçante. Le metteur en scène m'a rassurée. « Nous avons quatre mois pour nous accoutumer à toute la pièce et peut-être même pourrons-nous revenir à la réplique initiale. »

En revenant des répétitions qui se font en début de soirée, j'ai souvent le loisir de sonner à la porte « paulinienne », dit Arthur. Hier, j'ai pris le temps d'arrêter au kiosque pour acheter *Nuit blanche* et *Lettres québécoises*. Il n'y avait qu'une jeune fille sans trop d'expérience pour répondre à la clientèle qui se trouvait de ce fait assez nombreuse à piétiner. Deux femmes conversaient derrière moi.

– Avez-vous vu dernièrement madame X*, votre voisine ?

– Je ne la vois que rarement ces temps-ci.

– Pour ma part, je l'ai rencontrée comme elle arrivait de prendre un nouveau passeport. Elle m'a montré sa photo dont elle était très contente.

Elle m'a demandé de ne dire à personne qu'elle renouvelait son passeport. Qu'est-ce que vous pensez de cela ?

– Mais… que vous venez justement de faire le contraire.

Je n'ai rien entendu de plus car c'était devenu mon tour de réclamer les revues que j'avais retenues. La voisine de ma cousine est fort indiscrète. En rentrant chez moi, je téléphone, pourquoi ce secret ? Un passeport ce n'est rien de dangereux.

Je n'ai pas ressenti la témérité de suivre mon projet et je suis rentrée chez moi fort perplexe. Bon ! J'ai dîné et après une demi-heure où j'attendais peut-être qu'elle m'appelle, j'ai risqué de le faire moi-même. Pas de réponse. C'est bizarre ce qui m'arrive. Jamais je ne me suis préoccupée d'elle à ce point. C'est que je sens une sorte de mystère, une masse de non-dit, comme de secrets desseins. Curiosité ? Sans doute.

Je me demande si ce turlupin n'appartient pas à une de ces sectes qui fleurissent chez nos voisins et plus encore dans les pays du Sud. Il a senti l'argent, les dons, les deniers à Dieu. Il faut que je parle à Pauline, que je la mette en garde.

Probablement qu'il n'y a rien à redouter. Elle m'a retenue à dîner hier soir. Je ne l'avais pas vue depuis une semaine et n'avais donc pas pu lui parler de cette affaire. Quelle affaire au fond ? Qu'elle avait fait renouveler son passeport ? Que je soupçonnais Phylias de desseins peu catholiques ? Mais lesquels ? Allons, Pauline n'est pas ma fille…

Le dîner, simple et bon comme d'habitude, convenait bien à l'atmosphère. Conversations de tous les jours, propos de gens honnêtes qui ne pratiquent ni la médisance ni la calomnie. Ce fut elle qui raconta qu'elle avait renouvelé son passeport qui aurait été bientôt périmé et on ne sait jamais quand surviendra le désir ou l'occasion inopinée de faire un voyage. Puis elle est partie dans une histoire de vacances parisiennes où elle aurait pu rencontrer quelqu'un d'utile à sa carrière à l'époque, où elle n'avait pu se rendre, faute d'un passeport valide. Déception cruelle qui lui avait fait verser beaucoup de larmes. « La vie nous donne des leçons ! » Un petit ton supérieur, les yeux au ciel, les mains crispées. Ah !

Après cet exemple vécu de petit drame intime, il y eut un silence un peu gênant que le mage – il se prénomme Phylias, cet homme, je l'ai déjà dit, cela a fini par se savoir, Phylias, depuis le temps que nous l'appelons monsieur – rompit de façon qu'il dut regretter par la suite.

– Avez-vous eu affaire à ce même jeune homme dont vous m'aviez parlé et qui s'était montré si serviable, un peu familier aussi ?

Tous les regards s'étant tournés sur Pauline, la voilà qui se met à rougir de façon qui me sembla exagérée pour ce que j'en savais. Un autre secret peut-être. Le silence, déjà épais auparavant, s'enfla sensiblement. Pourquoi ? Je regarde du côté de Phylias qui joue l'innocence. Il a pris une revue dans le vide-poches à côté de son fauteuil, la feuillette, la remet en place, en prend une autre, feuillette, sort de son petit sac de petits ciseaux et demande la permission de découper une publicité. J'aurais donné cher pour voir ce que c'était. Rien du tout ? Trois fois rien du tout ! Quelque chose comme « suite à la page 27 ».

Enfin, ne sachant plus quoi dire ni quoi faire, il se leva, distribua quelques saluts maladroits. Pauline le reconduisit. Je remarquai que, sitôt loin des autres, ils se mirent à se parler à voix basse. Arrêt à la porte qu'ils finirent par ouvrir pour sortir ensemble. Si bien que je décidai, pressée par mon programme de la soirée, d'emprunter la porte arrière, ce que je ne faisais jamais. C'était comme si j'avais changé de parcours, comme si j'avais pris une correspondance pour un pays inconnu.

« Passer par la porte arrière. » J'ai écrit cela il y a belle lurette. On m'a déjà dit que seuls les amis proches possédaient, autrefois, la clef du cadenas de la jolie grille de fer forgé qui défendait l'étroit passage mal pavé conduisant à ce que l'on appelait entre nous « le lopin ». C'était le beau temps, celui qui faisait de cette maison le rendez-vous des plus anciens de notre coterie d'alors.

Les années ont passé, trois ou quatre ou cinq. Je les ai vécues comme dans un autre pays. J'ai changé d'amis, sauf les meilleurs. La mort m'en a pris. L'oubli aussi, la distraction. Si je retrouve un de mes répertoires téléphoniques d'il y a cinq ans, je suis effarée de voir défiler les noms de ceux que je n'appelle jamais. Je suis à deux doigts de passer à l'acte et puis je crains de ne pas savoir que dire, l'air d'une sotte. À retrouver leurs noms, je m'aperçois que j'ai perdu leurs visages, le souvenir de leurs voix. J'ai même eu peine à reconnaître ce carnet. Heureusement, la première feuille porte une date. Il n'est pas si ancien, mais il a passé tout un été au soleil sur la véranda, abandonné avec des journaux, pendant un séjour à la campagne, après quoi je l'ai retrouvé, reliure gondolée, papier jauni, encre pâlie. Je n'avais jamais remarqué, avant de compter les ratures et les renvois à une autre page, qu'un nom de famille pouvait être si éphémère.

– Qu'est-ce que vous écrivez ? m'a demandé Arthur qui m'a surprise le stylo aux doigts.

Comme il sait qu'à cette heure ma porte n'est pas fermée à clef, il frappe deux ou trois petits coups, puis il rentre en criant « coucou ».

Je lui montre le répertoire téléphonique et j'énumère les noms qui en sont disparus, raturés comme par un maléfice inexplicable.

– Justement, j'ai quelque chose à vous montrer. Je viens de trouver cela dans mon casier. C'est une carte postale, mais dans une enveloppe comme une lettre. C'est amusant. On peut croire qu'elle annonce quelque chose de secret que le facteur ne doit pas connaître.

Qui donc avait cette habitude ? Il me semble bien, mais je n'en suis pas certaine, que c'était Phylias. Comment ai-je oublié tant de choses de cette période de ma vie ? J'en parlerai à Jeanne qui explique tous ces phénomènes. Je pourrais même passer à son bureau, elle me prendrait plus au sérieux.

Il me tend l'enveloppe adressée à la machine.

– Tiens, le *n* porte un tilde !

– Et alors ? Qu'est-ce que cela signifie ?

– Que c'est écrit en espagnol. De plus le timbre est d'Argentine. Je peux voir la carte ?

Arthur est démonté d'apprendre qu'elle ne vient pas d'Espagne. Pauvre jeune homme, il ne connaît des Amériques que les États-Unis et encore que ceux du Nord, collés à notre frontière. Finalement, la carte est signée par Phylias, le texte est à la première personne plurielle. Il dit que pour des raisons difficiles à expliquer « nous n'avons pu donner souvent de nos nouvelles » et puis « nous ne pouvons non plus vous donner une adresse fixe en ce moment, mais nous écrirons quand même de temps en temps. Amitiés à tous. » Il n'est pas dit pourquoi c'est à Arthur qu'on écrit. Autre chose qui me fait tiquer, c'est le mot souvent (donner souvent de nos nouvelles). Entre souvent et jamais n'y a-t-il pas un court intervalle où on pourrait loger un appel, quelques phrases ? On ne l'a pas trouvé, ce qui ne me donne pas beaucoup d'espoir pour l'avenir. Il y a là, assurément, un mystère et même plusieurs, qui sait ? Pas vingt secondes pour un appel ?

Le mot « mystère » fait rire Arthur à qui ce genre de motif inspire de la méfiance. Il a ses raisons.

– J'ai un oncle qui n'a pas donné de nouvelles à sa famille pendant un grand nombre d'années, dit-il, et cela à un temps où on ne voyageait pas beaucoup. Il avait obtenu une bourse pour étudier le violon à Paris et puis une autre, ce que sa famille apprit par son ancien professeur, lequel eut la gentillesse de donner des nouvelles de leur fils sans toutefois pouvoir donner son adresse car il était toujours en tournée de concert. Bref, quand il sonna à la porte de ses parents, personne ne le reconnut. Aux reproches pour n'avoir pas écrit, même pour annoncer son retour, il n'avait qu'une réponse : « Écrire, moi, ça m'embête », répétée aussi souvent que nécessaire.

Tous ces gens bizarres constituent l'essentiel de ma famille. Pour la plupart, ils furent en leur jeunesse timorés, pusillanimes, ne sortant guère de leur coquille ni de leur cocon. Et puis, un matin, ils partaient soi-disant pour le lieu de leur travail avec une serviette un peu plus bourrée que d'habitude et on ne les revoyait plus. D'autres avaient durant la nuit quitté silencieusement une chambre où le lit fermé aurait rendu inutile le billet laissé sur la table de la cuisine. Il y en a qui, fiers de leur coup, envoyaient une carte de New York, de Moscou, pour un peu d'insolence, et même de Hollywood. Pour celle-là, quelques années plus tard, on la vit souvent qui faisait de la figuration intelligente dans quelque beau film. Bon ! en voilà une qui était toujours vivante. Gloire à Dieu ! Quant à la carte postale de Moscou, on y lisait : « Je me dégourdis et pas seulement les jambes. Prenez soin de mon canari. »

Mais pour cousine Pauline, ce fut une autre paire de manches. Elle ne partit pas en catimini, elle vivait seule et elle a fait cela comme on va faire ses courses. J'appris rapidement que ce fut Phylias qui l'avait aidée à faire ses valises et que ce fut lui qui vint la chercher, en taxi, le soir tombé. Tout cela se recolla peu à peu, chacun fournissant sa part de potin. J'appris surtout qu'elle avait laissé ses clefs et ses instructions à un de ses amis qui était aussi son notaire.

Et les années ont passé jusqu'à ce que le sort – quoi d'autre ? – m'apporte quelques photos prises par un touriste-explorateur et mon ancien voisin qui, entré par le Venezuela, a côtoyé toute la côte du Pacifique, a remonté, après la Terre de Feu, la côte atlantique jusqu'à l'Uruguay – ouf ! – où l'aéroport vous attend. Et puis… et puis les photos. Je ne sais plus trop où, elles auraient mérité une note explicative au verso. On y voit les mêmes personnages dans des décors différents. Trois hommes dont un manquant occupé bien sûr à prendre la photo chacun à son tour. Une femme, enceinte visiblement, toujours entourée par ses compagnons. Il me sembla reconnaître Phylias, mais les lunettes de soleil, le grand chapeau… rien de certain. De l'autre côté de la femme, un garçon peu vêtu, torse et jambes nus, acajou est le mot qui décrit le mieux la couleur de son visage aux pommettes hautes. Il tient la femme d'un bras autour des épaules. Pour ma part, je n'ai pas tout de suite aperçu la petite fille loin derrière, dissimulée presque complètement dans les arbustes fleuris où j'ai fini par entrevoir une robe blanche surmontée d'un mince visage pâle.

– Qui sont ces gens ? ai-je demandé à mon visiteur. Je reconnais Phylias malgré le chapeau et les lunettes.

– Vous ne reconnaissez pas votre cousine Pauline ? Il est vrai qu'elle s'est un peu, disons, transformée.

– Je vois. De qui est-ce ? Du beau garçon qui la tient aux épaules ? Et la fillette ? De Phylias ?

Ce qui fit rire tout le monde, sauf moi.

– Non pas. Elle est du chef qui a accueilli Phylias et Pauline jusqu'à maintenant ou presque. Le beau jeune homme est son fils et successeur. Il n'avait jamais touché une femme aussi belle aux yeux bleus. Tout est là. Espérons pour elle que celui qui lui gonfle le ventre hérite ce faisant de la beauté de sa mère. Un petit dieu, quoi !

Ce messager impromptu dit que Pauline soupire après son retour ici, mais que ses hôtes ne l'entendent pas de cette façon. Il dit aussi que de Montevideo, un petit avion dûment commandité peut aller repêcher la mère et la fillette. Phylias, qui avait pu s'installer en Uruguay en attendant, a eu la possibilité d'arranger tout cela.

Eh bien ! C'est gentil et romanesque tout plein de s'aller promener jusqu'en Terre de Feu ! Bref, une collecte amicale s'organisa dont je me désintéressai sitôt ma quote-part donnée. Je n'étais d'aucune ressource pour organiser ce retour. Enfin, nous apprîmes que Pauline et Phylias étaient arrivés à Montevideo. Sans encombre et avec la fillette.

– Sans son grand demi-frère ?

– Il n'en a pas été question, ses amis s'y seraient opposés.

Pauline a encore des amis ici. Nous avons constitué un petit groupe pour nous occuper d'elle. Pour ma part, je ne connaissais personne d'utile. Je me contentai du courrier et des choses nécessaires à son retour dans sa maison.

Nous avons commencé à attendre. Il a fallu contribuer de nouveau. Puis nous nous sommes rendus à l'aéroport pour rien. Personne ! Puis, quelques jours plus tard, appel téléphonique de New York.

– Le seul avion de Montevideo arrête à New York. Nous avons décidé que ce serait trop bête de n'en pas profiter pour quelques jours. Enfin, nous partons demain.

Ce fut sans certitude que nous partîmes pour l'aéroport le lendemain matin. Les passagers étaient nombreux. Sans m'en apercevoir, je les comptais et comme le chiffre grossissait, je soufflai à mon voisin : « Ce serait trop fort d'être ici encore pour rien. » Comme toujours après avoir présumé le pire, on les vit apparaître, bons derniers en haut de l'échelle.

– Je ne sais si le voyage a été éprouvant ou s'ils ont fait la noce à New York, je leur trouve l'air bien fatigué.

On n'avait plus le temps de se répandre sur quoi que ce soit, surtout là-dessus.

On s'embrasse avec sincérité. J'ai eu si peur pour elle. Cependant, je n'ai pu refréner un léger recul en sentant son ventre plein et dur me bousculer : « Mais oui, c'est bien ça. » Il y a des évidences qui rendent toute explication inutile et s'il y en a une au monde…

La fillette aussi participe aux embrassades. Elle semble désemparée et comme je la soulève et la serre assez fort, elle reste là, ses bras autour de mon cou et résiste quand je tente de la déposer.

Arthur qui, je ne l'ai pas dit, s'est occupé des affaires de Pauline pendant ces années, qui a trouvé à louer la maison de bonne façon, qui a fait en sorte qu'elle soit libre et propre quand Pauline reviendrait, s'est tout de suite soucié de la rassurer sur l'état des choses, mais elle semblait encore à mille lieues de ça... Et pourtant, quand il lui a tendu la clef comme on rend les armes d'une place forte, je lui ai vu une petite larme, mais comme il y avait des fleurs partout, des fleurs d'ici et leur parfum d'ici vite reconnu, une émotion chassant l'autre, elle s'est trouvée consolée.

Je suis rentrée chez moi un peu ahurie, les oreilles fatiguées par les sonorités nasillardes. On dirait que j'arrive de Chine. Je n'avais pas réintégré mes pénates habituelles depuis un quart d'heure qu'on cognait déjà à ma porte. Ce n'était que l'ami Arthur et la fillette accrochée à ses chausses. En m'apercevant, c'est sur moi qu'elle s'est précipitée en haussant tout son petit corps comme si elle voulait m'escalader, rien de moins. Je comprends qu'elle veut recommencer le petit jeu « serrer fort ». Elle a des joues roses et rebondies, des pommes ! Je ne sais même pas son prénom.

– Flore...

– Tu le portes bien !

Je caresse ses joues. Elle rit et se tortille de plaisir en me rendant ma caresse. Ah ! voilà un grand amour qui commence.

Arthur nous regarde comme s'il était au spectacle. Il dit que Pauline téléphone à ses amis. Elle veut les recevoir dès demain et cherche un traiteur qui serait excellent et pas trop coûteux, mais Arthur n'en connaît que de médiocres plutôt chers.

– Pourquoi ne pas attendre deux ou trois jours pour être en mesure de recevoir elle-même ? La maison n'a pas été inhabitée pendant son absence ni livrée aux squatteurs.

– Vous savez, pendant toutes ces années, elle a vécu sans presque rien faire, passant son temps à regarder se balancer les arbres sous le vent, allongée dans un hamac. Phylias voyait à ce qu'elle ne fasse même pas bouillir l'eau du thé, de peur qu'elle ne perde le respect des domestiques ou même n'encoure leur mépris.

– Oui, c'est vite arrivé. Si vous demandez une aiguillée de fil pour recoudre un bouton, vous n'êtes peut-être qu'une ancienne couturière ou cuisinière si vous savez faire cette chose éminemment servile, battre une omelette.

Comme nous parlions de cela le soir de cette journée, il avança que le grand respect de la richesse et l'envie qu'elle suscite provoquait de vives réactions contre l'obligation pour les femmes de gagner leur vie : « Mes filles n'ont pas besoin de travailler » ou bien « Je n'épouserai jamais une fille qui travaille ». Cela s'entendait encore de temps en temps dans ces années-là. Il faut se rappeler qu'il y avait dans notre ville une haute société portant des noms à particule, ce dont personne ne se moquait, non plus que des personnes qui pouvaient « vivre noblement », c'est-à-dire sans travailler. Le nombre de manoirs échelonnés chaque côté du chemin du Roi en témoigne encore. Ces temps révolus ont duré plus longtemps qu'on ne le croit.

Tout en parlant de ces mentalités et des petits ridicules qui souvent les accompagnaient, Pauline dressait sa liste d'invitations. Il y avait de mauvaises surprises. Madame Y* avait quitté son mari et sa famille et vivait en Italie. Quant à monsieur Y* il ne sortait plus.

– Même pour dîner chez moi ?

– Pauvre Pauline ! Mais oui, même !

Il y en avait d'absents, de malades, des perdus de vue parce que Winnipeg, c'est loin. Quant à ceux qu'elle aimait tant recevoir, « du corps diplomatique », ils n'étaient plus les mêmes, les siens, comme elle disait, avaient été remplacés par d'autres, ainsi que cela se passe d'habitude tous les trois ans. Enfin, elle réussit à choisir une dizaine de noms en faisant la moue : « Est-ce que cette personne est connue ? »

– Oui, par sa vie scandaleuse, disait Arthur en s'esclaffant.

Je rentrai chez moi exténuée. J'avais eu beaucoup de mal à faire comprendre à Pauline que pendant toutes ces années je n'avais pas conservé de relation avec ses amis d'autrefois.

– Mais comment ça ? Tu ne vois donc plus les de Joinville ?

– Ah ! ma chère ! La dernière fois qu'on en a entendu parler ils étaient avec saint Louis et revenaient de croisade.

– Qu'est-ce que tu racontes ?

– C'est que les de Joinville, tu sais, il en reste si peu que rien, surtout ici, et si quelque malin journaliste n'avait choisi ce pseudonyme, il n'en resterait plus du tout.

Bref, c'est là-dessus que je suis rentrée chez moi, non sans avoir accepté de dénicher le traiteur adéquat – dixit Pauline.

Les réponses affirmatives furent nombreuses. La curiosité ! Tenter d'apprendre ce qui s'était passé pendant toutes ces années. Où, quand, comment, pourquoi ? Que Pauline soit disposée à répondre à tout m'étonnerait. J'ai peine moi-même à la confesser. Il y a quelques-unes de leurs questions dont la réponse saute aux yeux. Quand j'exprime mon point de vue là-dessus, Pauline me dit qu'elle a rapporté de là-bas des vêtements bien discrets et je reconnais rapidement à leur description les bons vieux *butcher boy* des années 1950, qui cachaient tout. Cela me rappelle le ton protecteur que l'on avait pour me révéler les inventions nouvelles lors de mon premier voyage en France, les marmites, les savons, les shampooings-teinture et quoi d'autre ? Ah ! l'Atlantique, quel fossé peu franchissable ! On arriverait à le franchir si on avait du ressort et son costume national.

Bref, tout finit par arriver. Pauline explique son impatience du fait qu'elle ne recevait jamais à dîner là-bas. Perdu l'habitude ! Premier coup de sonnette deux minutes avant huit heures. C'est moi qui ouvre, le traiteur n'ayant pas amené de valet. Moi, ça m'amuse. J'aurais dû m'habiller de noir. On m'aurait d'abord prise pour la bonne, puis tous ces gens auraient été désolés et confus. Pour la confusion, nous avions le temps. Nous avons pris une petite flûte. « Pas de bouchées, cela coupe l'appétit », avait décrété Pauline. Souhaitons, me disais-je, que le traiteur nous ait mérité cette abstention.

Je me suis aperçue que se tenait une sorte de messe basse près des fenêtres. Un couple échangeait des propos en aparté sous couvert d'admirer le jardin de fleurs. Mais d'où j'étais, avec ma fine oreille, je compris que la femme voulait partir et que le mari voulait dîner d'abord.

– Si nous dînons, nous devrons rendre l'invitation. Tu ne vois pas qu'elle est enceinte ?

– Et alors ?

– Alors ? Je ne vois pas de mari.

– Tu sais, de nos jours.

– De toute façon, je m'en vais. Je ne me sens pas bien.

Cette fois je m'avance pour tirer Pauline de cette histoire avant même qu'elle ne se produise. J'aborde discrètement ces deux personnes.

– Vous êtes souffrante, madame ?

– Un peu oui. Ce doit être le champagne. J'avais très soif, je l'ai bu trop vite.

– Oui, et il était bien frappé. Venez avec moi tous les deux, je vais vous accompagner jusque dans le hall.

J'y suis restée à flâner un petit moment puis je me faufile à la cuisine pour faire enlever deux

couverts. Pauline y passe et dit que je suis bien utile :
ça doit être cela, ce qu'on appelait le factotum. Je
fais espacer les couverts qui restent, ce qui crée un
peu de désordre. Cela n'échappe pas à mon voisin
Arthur qui ne badine pas avec le bon usage. Mine
de rien, il retourne ses couteaux, le tranchant vers
l'assiette, les verres au bout des couteaux, et comme
les fourchettes sont armoriées, il les tourne, les dents
piquant la nappe. Il me souffle :

– Je ne devrais pas faire cela, mais c'est plus
fort que moi. Je ferais cela même au restaurant,
mais ici…

– On a dû enlever deux places, cinq secondes
avant le passage à table.

Le voilà rasséréné. Il me raconte que dans son
enfance, on le confiait souvent à sa grand-mère fort
sévère sur ces petits points d'étiquette. En riant on pré-
tendait que la bonne se servait d'une règle pour respecter
toutes ces distances égales d'une place à l'autre. Diana
répliquait : « Il faut bien que ces enfants badinent. »
Elle s'appelait Diana, elle aussi. Ah ! elles s'appel-
leront toutes ainsi, sinon je n'en parlerai pas. Bon !
Courte plongée dans le côté charmant de l'enfance.

Pauline a fait passer le dessert autour de la table,
par le traiteur. « C'est plus discret pour ceux qui sont
au régime », dit-elle. Et puis, salon, café, tisanes.

– Je suis morte, me souffle Pauline, et ce bébé qui gigote. La prochaine fois j'inviterai moins d'amis, quitte à recevoir plus souvent. Heureusement que nous en avons perdu deux avant le repas. Sais-tu pourquoi ?

– Mais oui, c'est parce que ton mari n'est pas là, parce qu'il est resté là-bas. Mais pourquoi ?

– C'est simple, là-bas, il sera chef quand son père mourra, ce qui ne saurait tarder.

– Alors, tu retourneras avec ton fils ?

– Non. Le médecin m'a dit hier que ce serait une fille.

– Et tu es ici jusqu'à la fin de tes jours ?

– Un jour à la fois.

Si l'oiseau sur la branche savait parler, il ne dirait rien d'autre. J'ai envie de lui demander ce qu'elle avait été faire dans cette galère. Deux enfants !

Pauline, excédée, décida de ne plus inviter. De plus, le temps passait vite. La fille attendue commençait à se manifester vigoureusement des pieds et des mains. « Elle sera sauvage, cette petite », disait le docteur. Il riait et ne montrait pas d'inquiétude. J'étais la seule à m'apercevoir que Pauline avait les chevilles gonflées, qu'elle souffrait de toutes sortes de petits maux, céphalées, étourdissements. Quand, enfin, le bébé montra le bout de son nez – ce qui s'avéra être l'épaule – et qu'il fallut recourir à la césarienne, il retira du ventre de la parturiente un bébé qui possédait, comment dire, absolument tout d'un garçon. C'était donc pourquoi le docteur disait que ce bébé était sauvage. C'est que cette fille, c'était un garçon ! à la peau si sombre que toutes les personnes présentes (moi-même et quelques assistants) sommes restés interdits.

– Je vous laisse le soin de poser les agrafes, dit le médecin à son assistant. C'est vrai qu'elle est un peu garçonnière, mais c'est un beau bébé.

Pauline fut donc transportée à la salle de réveil où je pus rester avec elle.

– Vous ne me montrez pas ma fille ?

Elle s'éveillait à peine. L'infirmière déposa l'enfant à côté d'elle.

– Dieu de Dieu, jura Pauline.

– Il est très beau.

– Il croyait d'abord que ce serait un fils, ensuite on nous a dit une fille. Il va être content.

L'enfant se mit à hurler avec une force extra-ordinaire pour un si petit être. Il nous montrait tout l'intérieur d'une bouche couleur de corail et, le plus beau de tout, l'affleurement d'une dent de lait. Crier lui remuait le sang qui le colorait de pourpre.

Revenue dans sa chambre, Pauline marmonnait des propos décousus. Je lui trouvais les joues trop rouges, l'haleine de feu. J'entends qu'elle parle de Flore, sa fille aînée si blonde qui lui a valu l'admiration de tous les siens. Quand elle la promenait, (deux ans et déjà des cheveux superbes), les femmes basanées de toute la rue s'agglutinaient autour de son landau. Là où le sang est plutôt espagnol, la blondeur éblouit. Quand je suis allée à Mexico, je n'étais que châtain clair, mais cela fut suffisant pour qu'un bel hidalgo saute de sa voiture et vienne se poser devant moi, un genou en terre, la main sur le cœur, et remonte dans sa voiture, sans plus. La circulation piétonne s'était arrêtée tout autour. Petit moment.

Pour Flore, ce fut Santiago, et ces attroupements la faisaient crier de peur.

Pendant que les souvenirs de voyage me revenaient, suscités par les quelques paroles audibles prononcées par Pauline, assez agitée par moments, peu à peu l'inquiétude m'envahit. On vint lui donner une piqûre qui, sur le coup, l'agita encore plus. Elle se mit à crier : « Non, non pas vous, quelle horreur, j'aime mieux mourir. » Puis, elle sembla s'endormir mais pour se réveiller le temps de crier « non, pas vous » et regarder tout autour l'air égaré. On me demanda de partir, c'était l'heure. Je pourrais revenir demain, dans l'après-midi. Demain ? Demain…

Cela me paraît déjà loin et j'ai pour une bonne part oublié l'ordre des événements de ce lendemain. L'appel téléphonique à l'aube vient assurément en premier. Je ne sais plus de quelle façon je me suis rendue à la clinique. J'avais pris pour dormir un petit quelque chose que la fatigue avait potentialisé, je crois. Le docteur m'attendait. Il m'a dit que Pauline n'avait pas été suivie dans les débuts de sa grossesse, que tout venait de là.

– Voulez-vous la revoir ? Nous allons la préparer dans une heure. Elle a légué tous les tissus et organes utiles. Il faut faire cela rapidement.

Le souvenir que je veux garder d'elle, c'est celui d'une personne belle et vivante. Le docteur m'approuve.

– Et le bébé ? Voulez-vous le donner en adoption ? C'est possible.

J'ai répondu qu'il était déjà tout adopté. Je pense que le père ne s'objectera pas. On l'a gardé à l'hôpital à peu près une semaine.

Arthur et Phylias m'ont aidée à faire tout ce que suscite un événement inattendu comme celui-là. J'ai fait quelques colis avec la layette. J'ai couvert le landau et tous les petits meubles préparés pour le bébé. Ils m'ont aidée à écrire à son père, ma connaissance de la langue espagnole ne comportant qu'une petite douzaine de mots, et Phylias est allé déposer la lettre.

– Nous ne sommes pas de grands buveurs, a remarqué Arthur, mais cette fois-ci tout cela mérite un petit verre de quelque chose de bien, le jour du retour de l'enfant.

Pendant que je versais cela, Arthur regardait le jardin de Pauline, jumelé avec celui du voisin. Vous n'aimeriez pas avoir un beau grand jardin ?

– Oui, mais il faudrait la maison qui va avec.

– Moi, j'en connais une. Vous n'allez pas élever ces deux enfants toute seule ?

J'attendais la suite qui venait à petits pas, comme pour savoir reculer, le cas échéant.

– Vous avez une autre solution ?

Il a bien fallu avouer laquelle. Bref, nous nous sommes trouvés fiancés. Arthur dit : « de la main gauche »… ce que nous sommes encore, dans les bras l'un de l'autre et, sur les bras, deux enfants tout faits.

– À ta santé Arthur !

– À nos amours !

Sacrée Pauline !

Québec, décembre 2005 – décembre 2006.

ACHEVÉ D'IMPRIMER
EN MARS 2008
SUR LES PRESSES DE MARQUIS IMPRIMEUR INC.
SUR PAPIER SILVA ENVIRO
100 % POSTCONSOMMATION